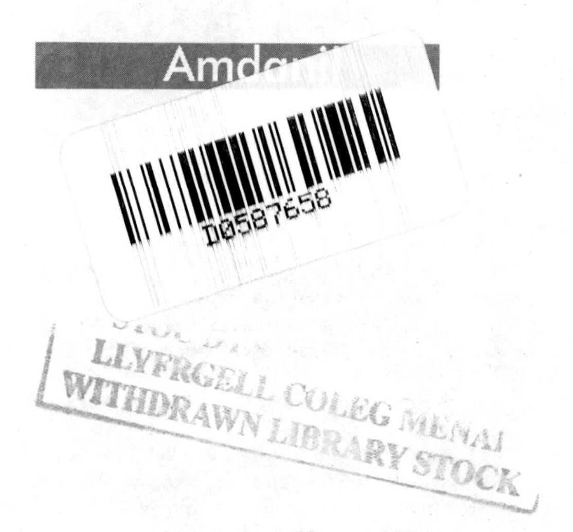
Amdg
D0587658
LLYFRGELL COLEG MENAI
WITHDRAWN LIBRARY STOCK

LLYFRGELL COLEG MENAI LIBRARY
043862

Argraffiad cyntaf: Gorffennaf 1997
Ail argraffiad: Awst 1997
Trydydd argraffiad: Ionawr 1999
Pedwerydd argraffiad: Medi 1999



Lluniau'r clawr: S4C
Llun yr awdur: Carys Williams

Rhif Llyfr Rhyngwladol: 0 86243 419 X

Cyhoeddwyd yng Nghymru
ac argraffwyd ar bapur di-asid a rhannol eilgylch
gan Y Lolfa Cyf., Talybont, Ceredigion SY24 5AP
*e-bost* ylolfa@ylolfa.com
*y we* http://www.ylolfa.com/
*ffôn* (01970) 832 304
*ffacs* 832 782
*isdn* 832 813

# Amdani!



BETHAN EVANS

# Pennod 1

AR BRYNHAWN SADWRN ges i'r syniad. Ro'n i a'r plant yn gwylio Wayne yn chwarae rygbi i'r ail dîm fel arfer. Roedd hi'n oer ac annifyr ond does 'na ddiawl o'm byd arall i'w wneud yn Nhre-ddôl ar bnawn Sadwrn. Roedd y gwragedd, a'r cariadon a'r 'gobeithio bod yn gariadon' i gyd yno yn sgrechian a rhegi ar y reff ac ati, er nad ydi eu hanner nhw'n deall uffar o ddim am y rheolau.

Dwi'n deall tipyn go lew, ond mae'n anodd deall bob dim os nad wyt ti rioed wedi chwarae'r gêm. Roedd Dad yn dipyn o chwaraewr yn ei ddydd (yr wythwr gorau welodd y dre erioed, medda fo – anifail butra'r clwb medda pawb arall), a phan o'n i'n hogan ifanc mi fyddwn i'n gwylio pob gêm ryngwladol ar y soffa yn ei gwmni fo, tân glo yn troi 'nghoesau i yn we pry cop piws a Mam wedi paratoi llond gwlad o de a lei cêcs. Ond smwddio neu rwbath fyddai hi yn ystod y gêm, a gwneud ei gorau i 'nghael inna i helpu, ond doedd ganddi hi'm gobaith.

Ro'n i'n ysu am gael chwarae fy hun, ond doedd genod ddim yn cael gwneud petha fel'na yn y saithdegau, dim ond pêl-rwyd a hoci – dwy gêm lle ti'm yn cael cyffwrdd dy gyd-chwarewyr heb sôn am eu hyrddio nhw i'r llawr. Wel, nid o flaen y reff.

Ro'n i wedi derbyn mai sefyllian yn gwylio'r dynion yn cael yr hwyl i gyd fyddwn i am weddill fy oes. A bwydo a golchi llestri yn y clwb wedyn, cyn golchi'r cit tra oedd Wayne allan yn slotian efo'r hogia.

Roedd yr hogia yn chwarae'n uffernol.

"Iasu, dowch 'laen!" medda Menna, fy mêt i, " 'dach chi'n chwarae fatha haid o ferched wir dduw."

"Argol, be sa'n ti?" medda Beryl wedyn, "ma'n nhw'n waeth na merched, tasan ni yn chwarae yn eu lle nhw, 'san ni'n eu curo nhw'n rhacs siŵr!"

Mi glywodd un o'r hogia hyn – anodd peidio efo lleisiau fel sy gan y ddwy yna – a gweiddi'n ôl:

"Dewch i'r clwb heno 'ta, gewch chi 'nhaclo fi faint fynnwch chi genod! Jyst gwatshiwch fy nhacyl i 'de!"

Chwarddodd pawb fel hienas.

"Gwranda, mêt," gwaeddodd Beryl yn ôl, "os ydi dy dacyl di mor anobeithiol â dy daclo di, wnawn ni'm trafferthu."

Roedd yr hogia wrth eu boddau, ac wrth gwrs, mi ddaeth y jôcs arferol am *hookers* ac ati, a ninna, wel, Beryl a Menna, yn cega'n ôl bob cyfle.

Gwaeddodd un o'r gwrthwynebwyr ar Menna:

"Hei, gorjys! Dyro'r gore i fwydro am betha ti'm yn ddallt. Sticia at be ti'n ei 'neud ore a ty'd i ista ar 'y ngwyneb i !"

"Pam?" medda hitha fel mellten, "ydi dy drwyn di'n fwy na bidlan di ?"

Un dda ydi Menna.

Fel roedd y tîm arall yn paratoi am drosiad arall, ges i air yn ei chlust hi.

"Mi fysa'n braf gallu dangos iddyn nhw, 'n bysa?"

"Y?" Doedd ganddi hi'm clem be oedd gen i.

"Chwarae rygbi 'de? Fysen ni gystal â nhw bob tamed, betia i di."

"Ia, a 'dan ninna wedi hen arfer chware efo peli siâp od hefyd, yndo?!" medda hitha a dechra cael sterics.

Typical. Un fel'na ydi Menna. Uffar o hogan – nyrs o ran gwaith, rafin o ran natur. Pam mae gymaint o genod gwyllt yn mynd yn nyrsys? Tydi hi heb briodi eto, er ei bod hi'n dri deg eleni; mae'n dal i chwilio am Mr.Perffaith. Ond go brin y daw hi o hyd iddo fo ynghanol hogia Tre-ddôl. Erbyn meddwl, mae hi wedi bod drwy y rhan fwya ohonyn nhw yn barod. Nid 'mod i'n ei beirniadu hi mewn unrhyw ffordd. Taswn i'm wedi cyfarfod a phriodi Wayne mor uffernol o ifanc, fyswn inna yr un fath â hi, beryg. Dwi'n cyfadde 'mod i wastad wedi bod yn eitha cenfigennus ohoni pan fydd hi'n codi 'i phac a mynd i Lloret de Mar neu rywle efo'r *singles* eraill, a 'ngadael i adre efo Wayne a'r plant a'r golchi a'r smwddio a'r bwydo diddiwedd. Ac mae Beryl a hitha yn cael uffar o hwyl yn y fflat 'na sy ganddyn nhw. Maen nhw wedi cael ambell i barti fysa'n gwneud i Sodom a Gomora edrych fel Cymanfa Ganu.

Chymerodd neb fawr o sylw o be ddeudes i ar y pryd, ond mi fues i'n hel meddyliau am y peth drwy'r nos. Dechra tîm rygbi merched. Pam lai? Roedd 'na hen ddigon o genod ffor'ma fysa wrth eu boddau yn rhoi cynnig arni. Does 'na'm byd ar gael i genod ein hoed ni y tu allan i'r tŷ, a'r caffis a'r tafarndai. Sgynnon ni'm llwchyn o awydd ymuno efo Merched y Wawr na'r W.I. Tydi sioe sleidiau a gosod blodau yn gwneud dim i mi, a does 'na fawr o neb yn mynd i *aerobics* ers misoedd, mae o mor ddiflas, ac yn clashio efo *Coronation Street*. Pan ti'n fam ifanc, mae pawb fel tasen nhw'n cymryd yn ganiataol bod magu plant i fod yn ddigon i chdi.

Daeth Wayne yn ôl o'r clwb tua'r hanner nos 'ma, yn

chwil gachu fel arfer, a neidio i mewn i'r gwely yn drewi o *bitter* a rym a blac.

"Haia, gorjys; dwi adra."

"Dow, 'swn i byth 'di sylwi," medda fi.

"Mmmm, ogla neis arnat ti..."

"Ogla arnat titha 'fyd."

"Ti ffansi gneud mwy o fabis?"

"Dwn 'im, mae'r rhamant yn ormod i mi. Ti 'di meddwl sgwennu i *Mills and Boon* erioed dwa'?"

"Y? Ty'd yma *luscious babe*. Dwi isio chdi," ac mi afaelodd ynof i a sodro ei wefusau gwlyb dros fy nhrwyn i.

"Wel os 'di dy anelu di mor blydi uffernol â hynna, waeth i ti 'i hanghofio hi rŵan."

"Paid â bod fel'na. Trwyn del sy gin ti 'de." Daeth ei wefusau o hyd i 'nghlust i a 'ngwar i, a dyna ni, ro'n inna isio gwneud mwy o fabis hefyd. Hyd yn oed pan mae o'n llwch, mae o'n gallu 'nhroi i 'mlaen.

Dyma fo'n dechra chwarae efo rhannau eraill o 'nghorff i.

"Asu, be 'di hwn?" medda fo, wrth afael yn y bloneg sy gen i am 'y nghanol. "Ti 'di twchu, do? *Pinch a* llathan myn uffarn i. Ti angan mynd ar ddeiet 'sti!"

Rois i swadan iddo fo nes roedd o'n bownsian. Ac aeth o fawr pellach y noson honno. Ond mi wnes i benderfynu codi'r busnes rygbi 'ma eto. Roedd o'n iawn, ro'n i wedi magu pwysau.

# Pennod 2

GAN FOD YR HOGIA yn cael rhyddid ar nos Sadwrn, y drefn ers blynyddoedd ydi 'mod i a rhai o'r mamau ifanc eraill yn dianc ar nos Sul. Mae Wayne wastad wedi bod yn hapus efo'r trefniant yna gan ei fod o'n dal yn weddol giami ers y noson cynt. Dwi'n rhoi *pizzas* yn y popdy ac awê i'r *Crown* i gyfarfod y genod erbyn hanner awr wedi saith.

Tydi hi byth yn noson fawr, dim ond chydig o haneri, a chyfle i gael sgwrs a smôc ymhell o'r sinc a'r swnian. Roedd Beryl a Menna yno tro 'ma hefyd.

Roedd Menna ar ganol stori fawr am ei dyn diweddara.

"Haia, Llinos. O'n i jyst yn deud am yr hync 'ma ges i neithiwr. Cefnder Jôs Bach, mae o'n fildar yn Preston. Uffar o bishyn, toedd Ber?"

"Os wyt ti'n deud, 'de Menna. 'Swn i'm 'di dwtshiad o efo coes brwsh 'n hun, 'de."

"Dos i ganu! Roedd o'r un ffunud â Keanu Reeves. Ti 'mond yn jelys."

"Gawsoch chi hwyl felly?" Mi stwffies i'n hun rhwng y ddwy cyn iddi fynd yn ffrae. Maen nhw'n union fatha Laurel a Hardy weithia. Does 'na neb byth yn eu galw nhw'n hynna yn eu hwynebau, ond fel'na fydd pobl yn cyfeirio atyn nhw, yn enwedig yr hogia. Mae Menna yn fychan ac eiddil efo gwallt byr, tywyll, a llygaid anferthol sy wastad yn gacen o *eye-liner* du, ac mae Beryl yn llond ei chroen efo cyrls golau at ei hysgwyddau a bochau coch, iach. Ac maen nhw'n ddigon o ffrindia i fedru ffraeo'n gacwn ac anghofio am y peth ar ôl pum munud, sy'n rhwbath prin ymysg merched.

Aeth y mân siarad ymlaen am dipyn, a ni'r mamau caeth yn rowlio chwerthin efo hanesion manwl Menna am Keanu y bildar, yn hanner ei amau hi a hanner gwingo efo cenfigen ar yr un pryd. Ymhen hir a hwyr, mi godais i'r pwnc.

"Gwrandwch, dwi 'di cael syniad. Oedden ni gyd yn eitha da am chware hoci a phêl-rwyd yn yr ysgol, toeddan? A tasa aerobics ddim mor uffernol o ddiflas, mi fysen ni'n dal i fynd, yn bysen? 'Dan ni gyd isio cadw'n ffit, a 'dan ni gyd yn gêm am laff, tydan?"

Côr o "Ydan", "Bysen" a nodio pennau yn dilyn pob cwestiwn.

"Wel, dwi'n meddwl y bysa fo'n uffar o hwyl i ni ddechra tîm rygbi."

Côr o dawelwch llethol. Yna: "Be?" "O ie, ha ha..." a chwerthin aflafar.

"Be sy mor uffernol o ddigri ?" Ro'n i'n flin.

"Gwranda, Llin," medda Beryl, ar ôl iddi orffen tagu ar ei lager a leim. "Gêm i ddynion ydi hi. Os oes 'na o leia un o'r hogia yn brifo bob wsnos, be ti'n feddwl fysa'n digwydd i ni? "

"Fedar merched ddim taclo dynion siŵr!" giglodd Anna.

"Nid eu taclo *nhw* fysen ni siŵr dduw. Genod yn erbyn genod. Mae 'na domen o dimau yn y de, dwi wedi'u gweld nhw ar y bocs, a dwi 'di clywed bod 'na rai yn y gogledd hefyd."

"Os cychwyn tîm o rwbath, pam ddim hoci neu bêl-rwyd ? O leia 'dan ni gyd yn gwbod y rheolau."

"Ond maen nhw mor *boring,* tydyn? A does 'na'm sialens. Meddylia laff fysa dysgu gêm hollol newydd, gêm lle ti'n cael gneud bob dim – rhedeg, lluchio, cicio, neidio – ac ma' pawb yn cael sgorio."

Sodrodd Beryl ei diod ar y bwrdd. "Ws ti be? Dwi'n licio'r syniad. Dwi'n gêm! 'Swn i'n gneud uffar o brop, byswn? A dwi'm 'di sgorio ers oes pys...!"

Mae Beryl yn hogan go nobl. A deud y gwir yn onest, mae hi'n dew, ond tydi hi'm fel 'sa hi'n poeni am y peth ryw lawer, wastad yn gwneud hwyl am ei phen ei hun. Ond fyw i neb arall dynnu ei choes hi am y peth chwaith. Dim ond Menna sydd â'r hawl i wneud hynny, ac os ydi hi'n deud rwbath wrthi, mae hi'n cael dwbl y dôs yn ôl yn syth.

Mae'r hogia wrth eu bodd yng nghwmni Beryl, ond byth yn canlyn efo hi, dim ond yn cael ryw icidyms weithia, dim ond ar ôl stop tap a hynny ar y slei. Maen nhw ei hofn hi dwi'n meddwl. Ond dim ond ffŵl fysa'n honni nad ydi hynny yn ei phoeni hi. Mae pob hogan isio cariad, tydi, waeth gen i faint maen nhw'n taeru eu bod nhw'n hapus fel maen nhw.

Doedd Anna ddim mor frwd. "Ond 'di o'm yn beth *ladylike* iawn i'w 'neud nac'di? Mae pob hogan dwi 'di weld yn chware ar y teledu yn hyll fel pechod, efo cyhyrau fel Arnold Schwarzenegger a choesa fel bwrdd snwcer. Dwi'm isio edrych fel'na diolch yn fawr, a go brin y bysa Dylan isio i mi edrych fel'na chwaith."

Dylan ydi gŵr Anna. Mae o'n athro mathemateg ac yn ffansio'i hun fel tipyn o academic. Fedra i mo'i ddiodde o fy hun, yr hen sgrwb diflas. Mae gan lwmp o goncrit fwy o gymeriad na fo. 'Dyl *by name, dull by nature,'* fel deudodd Wayne. 'Di o'm yn credu mewn atal cenhedlu, felly mae gan Anna chwech o blant yn barod a tydi hi 'mond dri deg un. A cheith hi ddim gweithio – fel tasa ganddi'r egni efo'r holl sbrogs; ornament gwneud babis oedd o am iddi fod, a dyna ydi hi. Tydi hi ddim fel 'sa hi'n cwyno chwaith, ac er bod ganddi freuddwydion am fod yn *career woman* y ganrif pan oedd hi'n yr ysgol, mi anghofiodd hi am bob dim fel'na y munud brynodd o fodrwy iddi. Fel fi, beryg. Ond doedd gen i rioed y brêns oedd ganddi hi. Nid fod hynny'n amlwg rŵan.

"Paid â malu cachu, Anna. Tydi'r ffaith dy fod ti'n chwarae rygbi yn newid dim ar dy *looks* di siŵr dduw, dim ond eu gwella nhw os rwbath. Ac mae o i fyny i chdi pa mor gry a ffit wyt ti isio bod."

"Na, chware teg," medda Menna. "Mae gynni hi bwynt 'sti. Sbia cymaint o'r hogia sy 'di torri'u trwyna a cholli dannedd. Ella bod hynny yn gneud wyneb dyn yn ddiddorol, ond meddylia golwg fysa arna i!"

"Mae dy drwyn di'n gam fel ma' hi," chwarddodd Beryl. "Be ti'n gwyno?"

Fel roedd Menna yn anelu cic filain at ffêr Beryl, ges i lond bol.

"Ylwch. Dwi am gael gair efo'r clwb i weld os gwnan nhw helpu, a dwi'n mynd i 'neud posteri. Jyst er mwyn cael un sesiwn i weld os 'dan ni'n licio fo. Mae o i fyny i chi wedyn. Mae hwn yn gyfle i ni 'neud rwbath gwahanol, ond os 'dach chi'n fodlon efo'ch sincs a'ch smwddio a'ch ffags yn y *Milk Bar*, wel, dyna fo 'de."

"Ers pryd mae chware rygbi yn sbario i chdi orfod smwddio, Llinos?" chwarddodd Menna.

"Ti'n gwbod be dwi'n feddwl..." chwyrnais inna.

"Ocê," gwenodd Menna. "Ddo i am laff, jyst i weld."

"A finna," medda Gwenan.

"Waeth i minna," gwenodd Awel. "A dwi'n siŵr 'sa'n chwaer i'n dod fel shot. Mae hi'n chwarae hoci i Gwynedd ac yn ofnadwy o ffit."

Roedd 'na ddiddordeb pendant, bron pawb yno yn fodlon rhoi cynnig arni. Heblaw am Anna.

"Welwch chi mohona i yn rowlio yn y mwd dros 'y nhgrogi. 'Dach chi'm yn gall, 'run ohonach chi. A dwi'n synnu atat ti, Llinos." Ac mi gododd, gafael yn ei bag llaw, a gadael. Ro'n i'n fud. Be oedd ar ei phen hi'n bod mor sych am y peth ?

"Paid â phoeni am honna," medda Beryl. "Ti'n gweld rŵan faint o *Lady Muck* ydi hi."

"Ond doedd hi rioed fel'na yn yr ysgol. Roedd hi wastad yn barod am chydig o hwyl. Be uffar mae'r blydi Dylan 'na wedi'i 'neud iddi?"

"Dim byd doedd hi'm isio'i 'neud, Llinos," medda Menna. "Be t'isio? Hanner lager top arall?"

Ond roedd agwedd Anna yn dal i 'mhoeni i; roedden ni wedi bod yn fêts mor glòs erioed, wedi tyfu i fyny efo'n gilydd, priodi o fewn blwyddyn i'n gilydd a wastad wedi mwynhau yr un petha. Ella ei bod hi fymryn yn stiff efo Beryl a Menna a'r rheina, yn enwedig pan fydden nhw'n mynd dros ben llestri, ond wnes i rioed feddwl y byddai hi fel hyn, yn gwneud cymaint o ffys o ddim byd. Mi ddechreuodd Beryl chwarae taclo efo Menna oedd â llond ei dwylo o ddiodydd, ac aeth Anna yn syth allan o 'meddwl i.

Roedd Wayne yn rhochian cysgu ar y soffa efo'r bocs ymlaen pan ddois i adre. Roedd ei geg o'n llydan agored a gwe pry cop o'i slefrian yn cysylltu top a gwaelod ei geg o. Secsi 'ta be?

Rois i'r tecell ymlaen a dechra cosi cefn ei wâr o. Mi

ddeffrôdd o fel arth. "Dwi'm awydd. Gad lonydd."

Es i i wneud coffi i ni'n dau, ac eistedd wrth ei ochor ar y soffa.

"Wayne?"

"M?"

"Ti'n gwbod be ddeudist ti neithiwr?"

"Be ddeudis i? Y cwbwl dwi'n gofio ydi cael clustan."

"Mi wnest ti bwyntio allan – yn garedig tu hwnt – 'mod i wedi twchu."

"O?" Yfodd ei goffi fel hwfar. "*So?*"

"Wel, dwi 'di penderfynu gneud rwbath am y peth, ocê?"

"Grêt. Gwna be lici di. Ti'm isio hwnna 'lly," ac mi fachodd fy *hobnob* allan o 'ngheg i a'i lyncu.

"Y crinc!"

Aeth hi'n ffeit. A thoc wedyn aeth hi'n *9½ weeks* efo'r *Hobnobs*.

# Pennod 3

"TI 'RIOED O DDIFRI?" Taniodd Jac stiward ei Farlboro ac eistedd ar stôl.

"Yndw tad. Mae 'na fwy a mwy o glybiau yn gadael i'r genod rannu'r cyfleusterau. 'Dach chi'n ymarfer ar nos Fawrth a nos Iau, tydach? Wel mae nos Lun a nos Fercher yn rhydd, tydyn? Meddyliwch am y pres fysa criw o genod yn dod mewn, yn enwedig os 'dan ni'n chware ar ddydd Sul."

"Ond mi fyswn i'n gorfod cael staff i mewn, byswn?"

"Ond mae Beryl ac Awel yn gweithio i chi fel ma' hi. Mi fysen nhw wrth eu bodda yn helpu. A digon o'r lleill hefyd."

"Fysa'r hogia ddim yn rhy hapus."

"Pam?"

"Stad y cae ar ôl gêm, stad y gêr, ogla sent yn y stafell newid, merched yn cymryd drosodd. 'Dwn 'im..."

Ar hyn, daeth Dora ei wraig o i mewn. 'Dwn 'im pam briododd hi Jac. Mae hi'n rîal trwyn ac yn casáu rygbi, a wneith hi'm byd i helpu'r achos byth. A hyd yn oed pan mae'r genod yn despret isio help i wneud y bwyd, wneith hi'm codi bys, dim ond cwyno ein bod ni heb sychu'r *worktop* yn iawn, neu bod 'na ffyrc wedi mynd ar goll. Mae hi'n mynd ar fy nyrfs i go iawn.

"Llinos bach, 'dach chi'm *honestly* isio chware rygbi? *I*

*can't believe it*, hogan neis fatha chi? Be 'dach chi'n pasa 'i gael allan ohono fo 'dwch?"

"Yr un fath â be fyswn i'n 'i gael taswn i'n chware hoci neu bêl-rwyd, Mrs.Williams."

"Felly pam na 'newch chi chware rheiny? Mae'r rheiny yn iawn i ferched, tydyn? Mae *netball* yn gêm *elegant* iawn, prin fedrwch chi ddeud hynna am rygbi. 'Dach chi wedi cysidro yr *injuries* gewch chi?"

"Do, Mrs.Williams."

"Jac, *you're not going to let her do this are you?*"

" 'Dwn 'im..." Roedd o'n meddwl bod hyn yn ddigri. Do'n i ddim.

"Ond Jac, cariad, meddylia am y cae."

"Be amdano fo?"

"Wel, mae coesa merched yn fyrrach, yntydyn, *so they take shorter strides don't they?* Felly mi fydden nhw'n malu'r *pitch* gymaint mwy na dynion, *don't you think?*"

Roedd wyneb Jac fatha bitrwt, ei lygaid yn dyfrio a'i ên o'n crynu. Taswn i'm 'di gwylltio cymaint, 'swn inna'n gallu gweld yr ochor ddigri.

"Ylwch, be am adael i ni gael un noson i weld sut eith hi?"

"Pwy sy'n mynd i'ch hyfforddi chi?" holodd Jac ar ôl pesychu chydig.

"Dwi'm yn gwbod eto. O'n i wedi meddwl gofyn i un o'r hogia."

Dechreuodd Jac chwerthin go iawn.

"Be sy?"

"Jyst dychmygu'r stampîd! Duwcs, ocê 'ta. Un noson, a gawn ni weld wedyn. Pa noson t'isio?"

"Be am nos Lun nesa?"

"Iawn!"

"Grêt. Dwi'n cymryd na fyddwch chi yno, Mrs.Williams? Hwyl!"

* * *

"Helô, Pugh, Jones *and* Jenkins."

"Haia Ber, Llin sy 'ma. Sut ti'n cadw?"

"Grêt. Dwi'n cyfarfod cymaint o *superstars* yn y job yma. Dwi newydd ddod nôl o'r Bahamas a dwi'n picio i Baris pnawn 'ma. Mae gen i ddêt efo Mel Gibson fory. Sut ma' petha efo chdi?"

"Briliant. Dwi newydd drefnu nos Lun nesa efo Jac Stiward."

"Dos o 'ma! Chwara teg iddo fo. Faint o'r gloch?"

"O'n i'n meddwl y bysa saith yn iawn. Mi fydd y mamau wedi cael cyfle i 'neud swper ac ati erbyn hynny, bydden?"

"Gwd thincin Batman. Hei, dwi'n edrych ymlaen."

"O'n i'n meddwl y bysat ti'n gallu fy helpu i efo'r posteri? Gan dy fod ti'n berson mor artistic 'de."

"Ac am fod gynnon ni beiriant llungopio yn y swyddfa, ia?"

"Wel..."

"Ia, iawn. Rwbath i mi 'neud myn uffarn i. Ma' hi fel y bedd yn y blydi lle 'ma. Ddo i â nhw rownd heno, ia?"

"Beryl, ti'n briliant!"

" 'Di hynna'n gynghanedd dwa'?"

" 'Dwn 'im, ond mi ddylia fod. Wela i di."

* * *

Mae gan Beryl ddawn, mae hynna'n saff. Roedd y posteri yn wych. Llun o ferch siapus a del (wrth gwrs) yn sgorio cais, a "Cais am ferched o bob lliw a llun" yn fawr ar y top.

Erbyn amser cinio dydd Mawrth roedd y posteri fel pla ym mhob siop, caffi a stryd yn y dre. Wedyn roedd 'na bla o hasyl, tynnu coes a chwestiynu.

"Ych, jyst er mwyn dangos eich coesau..."

"Fysa'n rhaid i mi dorri 'ngwinedd? Dwi'm yn dod os na cha i gadw rhain!" (gan ddangos crafangau modfedd a hanner o hyd).

"Dwi 'di bod *all for equal opportunities*, ond mae hyn yn *ridiculous*."

"Tydi cleisiau ddim yn neis ar ferched. Dewch i ymuno efo'r *soroptimists* os 'dach chi isio hwyl."

"Llwyth o ferched yn stido'i gilydd? Does 'na'm byd gwaeth."

"A phwy sy'n mynd i edrych ar ôl y plant os dorrwch chi'ch coes, y?"

"Lesbians 'dach chi?"

Roedd chwilio am hyfforddwr yn fwy o broblem. Doedd eu hanner nhw ddim o blaid merched yn chwarae efo dim byd ond eu gwallt.

"No wê. Dwi'm isio bod yn gyfrifol am lenwi *casualty* efo llwyth o genod 'di torri'u gyddfa."

"Paid â bod mor blydi gwirion hogan, os ti'n *bored* pam na gei di fabi arall? Dyna be mae dy gorff di'n dda."

"Os ga i ddod am gawod efo chi wedyn... ho ho ho..."

* * *

Es i i'r caffi ar ôl pigo Eilir a Mali i fyny o'r ysgol. Mae 'na wastad griw o ferched yno cyn ac ar ôl i'r ysgol gau. Mae'r holl bramiau yn gwneud y lle fel ras rwystrau, a'r plant i gyd yn gwneud coblyn o sŵn ond mae'n le grêt am y sgandals diweddara.

Roedd Anna yno. Es i ati efo 'nghoffi, dau ysgytlaeth a phaced o fysedd siocled i gadw'r plant yn dawel. Dwi dal methu deall pam mae'r ddau sy' gen i yn gwneud mwy o sŵn na'i chwech hi efo'i gilydd.

"Ti'n o lew?"

"Grêt. Chditha?"

"Champion."

"Ffag?"

"Diolch." Drag hir. "Sut mae Dylan gen ti?"

"Prysur. Mae o'n bennaeth blwyddyn rŵan." Wnes i'm trafferthu gofyn iddi be oedd hynny'n ei feddwl. Unwaith mae hi'n dechra sôn am ei waith o, does 'na'm stop arni. Roedd hi'n deall bod gen i ddim diddordeb.

"Sut mae Wayne 'ta?" Fel tasa ganddi hi ddiddordeb. Tydi Jacs Codi Baw ddim yn un o'r pynciau difyrra dan haul.

"Run fath. Dod adre a'i sgidie yn fwd bob nos yn cwyno bod 'na'm digon o swper."

Eiliadau hirfaith o dawelwch annifyr. Doedd sgwrs rhyngon ni'n dwy erioed wedi bod mor stiff.

Pesychodd Anna. "Ti'n dal ati efo'r busnes rygbi 'ma 'lly?"

"Yndw, mae petha'n dechra siapio."

"Sori os o'n i'n annifyr efo chdi."

"Mae'n iawn siŵr. Tydw i wedi hen arfer?"

Gwenodd yn ôl arnaf i.

"Ti o ddifri 'lly?"

"Blydi reit 'mod i. Ond dwi'n dal ddim yn dallt pam dy fod ti gymaint yn erbyn y syniad."

"Dwi jyst yn ei weld o'n rhwbath mor anaeddfed i'w 'neud."

"O. Sut 'lly?"

"O, ty'd 'laen. Tri deg o ferched yn eu hoed a'u hamser yn fwd a *cellulite* yn sgrapio am bêl. Does 'na'm math o urddas yn hynna, nagoes?"

"Urddas! O *come off it,* Anna, ti oedd y chwaraewr butra erioed yn y tîm hoci! Os oedd unrhywun yn meiddio mynd â'r bêl oddi arnat ti, roeddat ti fel cath wyllt! Ti'm yn cofio pan roist ti swadan efo dy ffon i'r hogan 'na o Harlech nes oedd ei dannedd hi fel conffeti ar y cae? Mi fysat ti wrth dy fodd yn chware rygbi, yr het!"

"Na fyswn i, ddim ffiars o beryg – a damwain oedd o! Gwranda, tasat ti'n dechra clwb hoci, mi fyswn i yna'n syth bin, ond rygbi? Gêm i lesbians a genod hyll sy efo uffar o *chip* ar eu hysgwyddau? Tyfa i fyny 'nei di?"

"Iesu gwyn hogan! Dwi'm yn coelio hyn. Ers pryd wyt ti mor ddiawledig o *boring*? Cynnig rwbath gwahanol ydw i, hwyl bach diniwed. Ella na 'neith o weithio, ond 'dan ni'm gwaeth â rhoi cynnig arni."

" 'Di o jyst ddim fatha chdi Llinos. A ty'd â dy lais i lawr, mae pobol yn dechra sbio."

"Gad iddyn nhw blydi sbio! Yli, dwi jyst isio cyfle. 'Dan ni'n cael un noson i weld sut hwyl gawn ni. Wedyn, os oes 'na ddiddordeb cario 'mlaen, mi gariwn ni 'mlaen."

"Ond mae pawb yn chwerthin am eich pennau chi."

"Eu problem nhw ydi hynny." Mi stwmpiais i'r ffag ar ei hanner. "Yli, ti'n mwydro 'mhen i, a sgen i'm 'mynedd cega efo chdi, ac mae gen i waith trefnu i'w 'neud. Wela i di. Mali? Eilir? Dowch, 'dan ni'n mynd."

Ar y ffordd allan, a stêm yn dod o 'nghlustiau i, mi welais i Carys Ty'n Lôn. Dwi'n licio Carys. Mae 'na lot o genod ffor'cw yn genfigennus ohoni am ei bod hi'n edrych fatha hogan o *Baywatch*, ond nid ei bai hi ydi hynny, naci? Mae hi'n dal a slim ond yn bwyta fel ceffyl, a byth yn gwisgo llawer o fêc yp. Mae ei thraed hi ar y ddaear a tydi hi'm fel 'sa hi'n sylweddoli pa mor ddel ydi hi. Mae hanner y dynion yn dre 'cw yn ei ffansio hi fel diawl, a phan oedd hi'n yr ysgol roedd yr athrawon i gyd yn glafoerio drosti. Roedd Ken Chem wastad yn mynd yn rhyfedd i gyd pan fydda hi'n mynd at y ddesg i fynd dros ei gwaith cartre, y creadur. Ond wnaeth hi rioed gymryd mantais o'r ffaith, er ei bod hi wastad yn cael 'A' am ymgais hyd yn oed os oedd ei marciau hi'n uffernol. Roedd y genod del wastad yn cael graddau gwell, erbyn meddwl.

"Helô Carys! Be ti'n 'neud dyddia yma? Y tro diwetha welis i chdi, oeddat ti'n gweithio mewn banc ym Mangor neu rwla."

"Dwi 'di cael *transfer* adre! Da 'de? A dwi am ddŵad i chware Nos Lun. O'n i'n nabod criw oedd yn chware ym Mangor, a wastad wedi meddwl rhoi cynnig arni'n hun. Ac mae Dafydd yn meddwl 'i fod o'n syniad gwych."

"Dafydd?"

" 'Nghariad i. Fo 'di'r athro ymarfer corff newydd yn yr ysgol. Mae o'n dal i chware rygbi yn Sir Fôn, felly fysa Wayne a rheina ddim yn ei 'nabod o eto."

"Be? 'Di o'n un da 'lly?"

"*Top scorer* tymor diwetha… Hwntw ydi o, ti'n gweld."

"Mmm… athro ymarfer corff… mae o wedi hen arfer hyfforddi felly…"

"Ydi siŵr. Pam wyt ti'n gwenu fel'na, Llinos Parri?"

# Pennod 4

ROEDD HI'N NOSON braf, sych – diolch i'r drefn. Erbyn deg munud i saith roedd 'na bump ar hugain o ferched wedi cyrraedd, yn genod ysgol, mamau a nyrsys; roedd hyd yn oed Wendy Cartwright, yr hogan sy'n gwneud gwallt Mam a sy byth yn mynd i unlle heb bâr o sodlau pedair modfedd, wedi dangos ei hwyneb.

Am bum munud i saith, dyma Carys yn cyrraedd, a Dafydd yn gwenu'n swil y tu ôl iddi. Ar ôl eiliad o dawelwch, tra oedd pob un wan jac o'r genod â'u tafodau yn llusgo'r llawr, dyma Carys yn ei gyflwyno:

"Dyma fo i chi, Dafydd, fy nghariad i, hyfforddwr *extraordinaire*."

Roedd y geiriau "fy nghariad i" yn eglur tu hwnt ganddi, a'r fflach yn ei llygaid yn fwy eglur fyth. Efo'r mop o wallt melyn 'na sydd ganddi, roedd hi'n atgoffa rywun o lewes yn amddiffyn ei hysglyfaeth rhag haid o hienas.

"Elsa, myn uffarn i," chwarddodd Beryl dan ei gwynt. Fedrwn inna ddim peidio chwerthin. Diflannodd Menna i'r lle chwech.

"Tydi hi 'mond newydd fod," medda fi.

"Tunnell arall o lipstic 'mlaen, beryg," gwenodd Beryl.

Roedd Dafydd yn ysglyfaeth a hanner. Chwe troedfedd a dwy fodfedd, gwallt melyn, llygaid glas a chorff fel Daley Thompson.

"Shwmai, ferched?" medda fo mewn llais fel triog melyn

yn diferu dros ochor darn o dôst poeth. "Mas â ni yfe?"

Ac allan â fo i ganol y cae mewn gwaelod tracsiwt a chrys chwys du, a haid o ieir yn giglan a chlwcian y tu ôl iddo fo. Stopiodd a throi i'n hwynebu ni.

"Nawrte, oes unrhywun o'noch chi wedi 'ware rygbi o'r bla'n?"

Neb.

"Wel, dwi 'di ryw luchio pêl rygbi o gwmpas efo mrodyr," cynigiodd Jackie. "Ond 'swn i'm yn ei alw fo'n chwarae rygbi."

"O leia ti wedi cyffwrdd â phêl rygbi, mae hynny'n rhywbeth." Gwenodd Dafydd. Roedd ei ddannedd o'n berffaith hefyd.

"Nawrte, cyn 'ware rygbi, ma' raid bod yn ffit, a dyna wi'n mynd i 'neud 'da chi gynta heno, twymo lan. Yna gweld shwd siâp sydd arnoch chi. Estynnwch lan... stretshiwch y cefen 'na..."

"Geith o weld sut siâp sy arna i unrhyw adeg," glafoeriodd Menna.

"Bihafia!" medda fi, tra'n estyn am y nefoedd. "Mae o'n bwcd."

Wna i'm deud wrthach chi be ddeudodd hi wedyn, ond roedd o'n odli.

Fuon ni'n ymestyn a ballu am ryw ddeg munud go dda, a phawb yn mwynhau, hyd yn oed Awel, sy'n uffernol o dal a stiff. Er bod ganddi freichiau hirach na choesau ambell un, fedar hi'm cyffwrdd ei phengliniau heb sôn am ei thraed.

"Iawn, bant â ni," medda Adonis a dechra rhedeg am ben pella'r cae.

" 'Di o rioed isio i ni redeg?" medda Beryl.

"Wrth gwrs 'i fod o," medda Carys. "Ti rioed yn disgwyl chware rygbi ar dy din, wyt?" Ac i ffwrdd â hi ar ei ôl o.

Gydag ochneidiau a mwy o glwcian, herciodd yr ieir eraill ar eu holau nhw.

Fel roedden ni'n pasio'r clwb am yr ail dro, roedd 'na rai o'r hogia yn sefyll tu allan efo peintiau yn eu dwylo, yn chwerthin nes oedden nhw'n sâl. Dwi'n derbyn fod 'na olwg y diawl arnon ni, ond roedd chwerthin fel'na cyn i ni hyd yn oed afael mewn pêl yn greulon. Mi benderfynon ni eu hanwybyddu nhw. A bod yn onest, doedd gan neb y nerth i ddeud gair wrthyn nhw, roedd hi'n gymaint o ymdrech dim ond anadlu.

O'r diwedd, daeth y rhedeg i ben. Yr unig rai oedd wedi llwyddo i gadw fyny efo Dafydd oedd Carys, Awel (er ei bod hi'n stiff, mae hi'n gallu rhedeg; roedd hi'n bencampwraig traws gwlad y sir pan oedd hi'n yr ysgol) a Ffion, ei chwaer hi, yr un sy'n chwarae hoci.

Ymysg yr haid oedd hanner canllath go dda ar eu holau nhw, ro'n i a Menna. Ymhell y tu ôl i ni roedd Siân Caerberllan, Wendy Cartwright a Beryl. Roedd Beryl druan yn biws, yn laddar o chwys ac yn tuchan fel tasa hi ar ei gwely angau. Dod i arfer symud mewn sgidie heb sodlau oedd Wendy. Jyst rhedeg fel rhech oedd Siân.

Es i draw i roi ysgwydd i Beryl. "Ti'n iawn dwa'?"

Doedd hi'm yn gallu ateb am chydig. Eisteddodd ar y gwair ac anadlu'n ddwfn. "Iawn? Be ffwc ti'n feddwl?" Beryg ei fod o'n gwestiwn gwirion.

Do'n i'm yn rhy dda chwaith. Sôn am ddifaru smocio, ac roedd fy nghoesau i fel jeli. Roedd Menna yn biwsgoch ond yn falch iawn o dynnu sylw at y ffaith fod Carys yn shêd go debyg. A bod yn berffaith onest, roedd pawb yn edrych yn ddiawledig, hyd yn oed Wendy Cartwright. Tydi *Harmony hairspray* yn dda i uffar o ddim pan ti'n chwysu fel mochyn. Roedd ffrinj pawb yn gacen o chwys a phawb un ai'n fflamgoch, yn gymysgedd o flotshys piws a melyn, neu yn annaturiol o welw. Wedi i ni gael ein gwynt atom, dyma Dafydd yn rhedeg allan o'r clwb efo llond sach o beli rygbi. Doedd o'm hyd yn oed yn anadlu'n drwm. Doedd 'na'm hyd yn oed ddiferyn o chwys ar ei dalcen o. Asu, roedd o'n ddel.

"Wi'n credu y bydd raid gwitho ar eich ffitrwydd chi os chi am gario mla'n... ond am y tro cyntaf, fe weles i wa'th sbo!" Roedd o'n palu celwydd, ro'n i'n gallu deud ar ei wên o. "Rhannwch yn grwpie marcie wyth neu naw a chymerwch bêl i bob grŵp."

O'r diwedd, roedden ni'n cael cyffwrdd y bêl. Dyma fo'n ein gosod ni mewn cylchoedd a dangos i ni sut i daflu pêl i'n gilydd.

"W! Mae o'n anoddach na mae o'n edrych, tydi!" gwichiodd Siân Caerberllan pan fethodd hi ei dal am y trydydd tro.

Roedden ni'n anobeithiol, ond o leia roedd pawb yn edrych yn weddol hapus. Roedd wyneb Beryl yn blotshys pinc a melyn erbyn hyn.

Toc, dyma Dafydd yn penderfynu ein bod ni'n barod i redeg a dal pêl ar yr un pryd. Mewn rhesi o bump, mi fuon ni'n trotian i fyny ac i lawr y cae yn pasio'r bêl ar draws y llinell yn cogio bod yn gefnwyr Cymru. Roedd gan Carys ddwylo da, a Nia Lewis, sy'n athrawes yn yr ysgol gynradd, ond roedd Siân Caerberllan a Wendy Cartwright yn poeni gormod am eu hewinedd i'w dal hi'n iawn. Rhywsut, roedd Beryl wedi cael ail wynt o rywle, ac yn mynd yn dda, os yn ara'. Do'n i'm yn wych o bell ffordd, ond ro'n i'n cael modd i fyw, fel yr hogia ar risiau'r clwb, oedd yn dal i bwffian efo pob methiant.

Roedd Menna yn gwneud ei gorau glas i blesio Mr.Perffaith wrth gwrs ac yn gwenu'n ddel arno fo bob cyfle gâi hi. Ond pan gafodd bàs wyllt gan Carys, roedd hi'n gorfod gor-ymestyn braidd, a rywsut, mi faglodd a disgyn yn galed efo sgrech.

"Aaaaa! Dwi 'di torri'n ffêr!"

Rhedodd Dafydd ati nerth ei draed. Asu, roedd o'n gallu rhedeg hefyd.

"Dere weld," medda fo gan fwytho'i ffêr hi'n ofalus.

Weles i rioed neb yn crio mor gelfydd. Rhyw ddiferu dagrau heb sbwbian ei mascara. Dim ceg gam, dim trwyn yn rhedeg. Actores oedd Menna i fod.

"Sa i'n credu'i fod e'n ddrwg. So ti wedi'i dorri fe ta beth, dim ond *sprain* bach weden i. Beth yw dy enw di 'fyd?"

Llygaid llo bach yn sgleinio a llais bach tila: "Menna." Bingo. A dyma fo'n ei chodi yn ei freichiau fel tasa hi'n pwyso dim, a'i chario i mewn i'r clwb. Roedd wyneb Carys yn bictiwr.

Pan ddaeth o'n ei ôl, mi fuon ni'n chwarae chydig o *touch* rygbi. Hwyl 'ta be! Roedden ni i gyd yn mwynhau pob munud erbyn hyn.

" 'Na fe, 'na'r cyfan am heno wi'n credu," medda Dafydd ymhen hir a hwyr. "Nawrte, tra chi'n cael cawod a newid, siaradwch 'mysg eich gilydd os chi moyn cario mlân ne' bido, a wela i chi yn y bar yfe?"

Dim ond Carys a Ffion a'r genod iau aeth am gawod. Toedd 'na ddeng mlynedd a mwy ers i'r gweddill ohonan ni fod yn noeth o flaen merched eraill? A doedd gen i fawr o awydd dangos fy *stretchmarks* i'r byd a'r betws, diolch yn fawr. Doedden ni'm yn fudur iawn beth bynnag.

Roedd Menna eisoes yn lân efo trwch ffres o fêc yp yn gwenu fel giât yn y bar, a'i choes ar stôl.

"Ti'n fyw 'lly?" holodd Carys, a'i llygaid fel cerrig.

"Dwi lot gwell, diolch i ti am ofyn. Jyst wedi'i throi hi

fymryn."

Daeth Dafydd draw aton ni, gwenu ar Menna a rhoi ei fraich am wasg Carys. "Wel, 'ych chi wedi penderfynu?"

Gwenodd pawb, a sbio arnaf i.

" 'Dan ni gyd wedi mwynhau, ac isio dal ati, felly, os wyt ti'n teimlo bod gen titha'r 'mynedd i ddal ati...?"

"Wi 'di joio mas draw! Bydden i wrth 'y modd. Ond cofiwch, ma' tipyn o waith 'dan ni i'w wneud, ac mi fyddwch chi'n fy nghasau i â chas perffaith ar adegau, yn edifar i chi fy ngweld i erio'd. Sa i'n mynd i adel i chi 'ware gêm hyd nes bo chi'n ddigon ffit. Chi'n fodlon 'da 'na?"

"Pa mor ffit ydi ffit?" holodd Beryl.

"Ffit," atebodd Dafydd yn gwenu'n ddel. "A 'sen i'n eich cynghori chi i neud popeth allwch chi i gyrraedd y ffitrwydd 'na o hyn ymlaen. Aerobics, y gym, nofio, loncian, gwylio beth chi'n fwyta... yn ogystal â nosweithiau fel hyn."

Doedd pawb ddim fel tasen nhw'n edrych ymlaen ryw lawer.

"Llinos, ti'n credu bydde'r clwb yn fodlon i ni ymarfer ddwyweth yr wythnos?"

"Roedd Jac yn deud bod nos Fercher ar gael."

"Grêt! Pawb yn iawn ar gyfer nos Fercher 'ten? Wela i chi. O, un peth arall, sa i'n credu bod y *trainers* hyn yn syniad da, ewch i brynu sgidie rygbi os ych chi o ddifri. Hwyl!"

Ac allan â fo, a'i fraich am ysgwydd Carys, a'i braich hitha yn dynn am ei ganol o.

Gwenodd Beryl ar Menna.

"Hi ga'th y rownd yna, ond ti pia hon... peint, plîs."

# Pennod 5

ROEDD 'NA DRI DEG TRI ohonon ni yno ar y nos Fercher, tua pump wedi prynu sgidie rygbi: fi, Menna, Carys, Awel a Ffion. Roedd Menna efo bandej am ei ffêr, ond roedd hi'n iawn, yn enwedig ar ôl i Dafydd roi mwythau iddi a deud nad oedd raid iddi redeg rownd y cae dair gwaith fel pawb arall.

Roedd Siân Caerberllan wedi benthyg sgidie ei brawd. Ond mae o'n seis naw a hitha'n seis pump. 'Sa waeth iddi fod mewn welintons ddim.

"Iawn, pawb y tu ôl i'r llinell," gwaeddodd Dafydd, a ninna 'mond newydd orffen rhedeg y mini marathon. "Ffindwch bartner a threfnu pwy yw 'A'. Mae 'A' yn sbrinto lan at y côns hyn ac yn ôl, yna'n rhoi pigi bac i 'B' at y côns ac yn ôl, wedyn'ny, mae 'B' yn sbrinto yma ac yn ôl ac yna'n rhoi pigi bac i 'A'. Wedyn'ny, mae 'A' yn mynd o amgylch y côns ar ei phedwar, yna 'B'.

"Be? Cropian fel babi 'lly?" holodd Beryl.

"Nage, fel hyn," a dyma fo'n rhoi *demo* i ni. Dwylo a thraed yn unig yn cyffwrdd y ddaear, a phen ôl perffaith yn yr awyr.

Roedd canhwyllau llygaid Menna fel padelli ffrio, a ryw riddfan od yn dod o gefn ei chorn gwddw hi'n rhywle.

Rois i bwt iddi: "Tasa dy feddwl di'n ffilm, 'sa fo'n 'X' *certificate* Menna..." Ond 'swn i'm 'di galw f'un inna yn

PG chwaith. Ddyla fod ganddo fo leisans i fod â phen ôl fel'na.

Roedd y gweiddi a'r sgrechian yn fyddarol. Siân Caerberllan yn trio cario Beryl ac yn disgyn yn fflat ar ei hwyneb. Ffion yn cario Awel, ond roedd coesau Awel mor hir, roedden nhw'n llusgo'r llawr. Roedd Nia mor uffernol o denau, roedd gan bawb ormod o ofn mynd ar ei chefn hi rhag ofn i ni falu rwbath. Mi gychwynnais inna'n rhy gyflym ar fy mhedwar a jyst â thorri 'ngwddw. Doedd Menna methu'i wneud o a sbio lle'r oedd hi'n mynd ar yr un pryd ac mi aeth hi'n syth i fol Beryl. Ar ddiwedd y sioe, roedd pawb yn g'lana' chwerthin ac yn fwd o'u corun i'w sawdl.

Roedd Beryl yn cael sterics: "Blydi briliant! Mae o fel bod yn chwech oed eto, tydi!"

Hanner gwên oedd ar wyneb Dafydd. Ac mi fynnodd ein bod ni'n gwneud y cwbwl eto, ac yn iawn tro 'ma, ac ychwanegu rownd arall, lle'r oedd 'A' yn gorfod rhoi 'berfa' i 'B' at y côn, a newid drosodd yn ôl at y llinell. Doedd o'm yn hapus yr eildro chwaith, felly roedden ni'n gorfod ei wneud o eto... ac eto.

Disgyrchiant oedd un o'n problemau ni. Pan 'dach chi ben i lawr mewn berfa, mae'ch crys chi'n dueddol o ddisgyn i lawr at y ceseiliau, a tydi pawb ddim isio dangos eu bra a'i gynnwys, yn enwedig os 'dach chi'n gwisgo'r un hylla sy gynnoch chi, yr un sy wedi troi'n lliw pibo llo bach yn y peiriant golchi. A chwarae teg, pwy sy'n mynd i wisgo eu *wonderbra* newydd sbon danlli i rowlio yn y mwd – heblaw am Menna?

Y broblem arall oedd ein bod ni'n hanner marw. Roedd hyd yn oed Menna yn ei ddiawlio fo. "Mae'n meddwl i'n 'X' *certificate* am reswm gwahanol rŵan. Dwi isio gwaed..."

* * *

Dros yr wythnosau canlynol, roedd y niferoedd yn amrywio yn ôl y tywydd a pha mor gas fu Dafydd yn yr ymarfer blaenorol. Fel ro'n i'n disgwyl, wnaeth Wendy Cartwright ddim para pythefnos, aeth hi adre yn ei dagrau un noson ar ôl rhwygo un o'i hoff ewinedd. Ond roedd pawb oedd wedi dal ati bellach yn gallu rhedeg o amgylch y cae deirgwaith heb fynd i goma. Roedd lastig fy nhrowsus i'n dechra llacio, a Menna yn cwyno fod ei brestiau hi'n diflannu. Ond roedd tracsiwt du Beryl dal yn dynn amdani a'r trowsus yn cael trafferth i aros yn uwch na rhych ei thin hi. Dechreuodd Menna a Tracy ei galw hi'n Beryl Big Bêl, ac er ei bod hi'n amlwg nad oedd Beryl druan yn or-hoff o'r syniad, mi sticiodd yr enw.

Roedd 'na griw ohonon ni'n teithio ugain milltir i nofio bob nos Iau – hyd yn oed Siân Caerberllan, sy'n methu nofio, ond roedd hi'n eitha hapus yn ffaffian o gwmpas efo *arm-bands*. Ac roedd y dosbarth *aerobics* efo meithrinfa yn llawn bob bore Gwener. Mi fyddai Anna yno weithia, ond doedd hi byth yn holi am y rygbi.

Roedden ni'n teimlo'n grêt, ond yn ysu am gael gwneud mwy na dim ond lluchio'r bêl i'n gilydd i fyny ac i lawr y cae. Roedd y rhan fwya wedi cael sgidie rygbi erbyn hyn hefyd.

Fi gafodd y swydd o ofyn.

"Ym, Dafydd... mae 'na rai o'r genod yn dechra 'laru ar jyst taflu'r bêl o gwmpas. Ti'n meddwl gawn ni ddechra ar y stwff go iawn toc? Sgryms a rycs a ballu?"

Gwenu'n ddel wnaeth o.

"Ti'm yn meddwl ein bod ni'n barod?"

"Sefwch funed," medda fo. A dyma pawb oedd yn

gorweddian ac eistedd ar y gwair yn llusgo eu hunain ar eu traed. Mi edrychodd yn wirion arnon ni am funud, a dechra rowlio chwerthin. "Nage, arhoswch o'n i'n feddwl. Bydd raid i chi ddysgu iaith hwntw yn bydd e?!"

"Oi, pan yn Rhufain..." chwyrnodd Beryl.

"Ie, ie, fi'n treial 'y ngore, w!"

" 'Dan ninna 'fyd. Plîs gawn ni gael dysgu taclo a rycio aballu? Plîs Daf?" medda Menna drwy'i heiliau mascaredig.

"Ocê. Man a man, sbo."

A dyna pryd ddechreuodd yr hwyl go iawn. Dysgu sut i ysgwyddo bagiau mawr glas o'r ffordd heb golli'r bêl na necio'n hunain. Gorfod gafael yn ein gilydd am y tro cynta a rycio fel ffylied. Roedd Beryl yn dangos addewid a deud y lleia. Stori wahanol oedd Siân Caerberllan.

"Nage Siân, nage'r Leaning Tower o Pisa wi moyn, rheda ata i fel 'se ti'n 'i feddwl e. Ti moyn fy nharo i'n ôl. Unweth 'to..." a dyma hi'n rhedeg ato fo fel tylwyth teg mewn sgidie hoelion, stopio, a rhoi hergwd bach tila i'r bag glas heb wneud i Dafydd symud blewyn.

"Fe ddaw... nawrte, y sgrym..." medda fo, yn fêl i gyd. "Sa i'n gweud taw dyma fydd eich safleoedd chi, ond gadewch i ni roi ryw fath o sgrym at ei gilydd am nawr. Menna, dere 'ma. Ti yw'r bachwr."

"Ma' hi 'di hen arfer..." gwenodd Beryl.

"*Hooker* 'di hynna ia?" holodd Siân Caerberllan. A dyma pawb yn giglan wrth gwrs, a Menna'n gwgu.

"Dwi'm isio bod yn blincin bachwr! *Centre* dwi isio bod."

"Jyst am nawr, plîs Menna? Diolch. Beryl a Siân, chi'n brops am nawr."

A dyma fo'n dangos iddyn nhw sut i afael yn lle, fel eu

bod nhw'n solat yn erbyn y peiriant sgrym.

"Nawrte, yr ail reng. Wi moyn rhai tal. Awel a Llinos?"

Blydi typical. O'n i wastad yn *goal defence* yn y tîm pêl-rwyd hefyd.

"Awel, ti'n gafael yn siorts Llinos fel hyn..." a dyma fo'n gafael ynof i mwya powld a fy hongian i oddi ar ei glun nes o'n i'n gweiddi. Mi gochais i at fy nghlustia hefyd; ro'n i wedi mwynhau'r profiad braidd, ac yn eitha siomedig pan wnaeth o 'ngollwng i. Mi gymerodd rai munudau i 'mhengliniau i ddod at eu hunain eto.

Unwaith roedd Awel a minna yn gafael yn ein gilydd yn iawn mi ddangosodd i ni sut oedden ni fod i gysylltu â'r rheng flaen.

"Wel, sa i'n credu bod e'n iawn i mi roi fy llaw yna, ond shgwl Llinos, mae dy law di'n mynd rhwng ei choese hi a gafael am ei *waistband* hi."

"Rhwng 'y nghoesa i? Dim ffiars o beryg!" rhuodd Beryl, gan rwygo ei hun o'r rheng flaen. "Gad i rywun arall fod yn brop!"

Ond mi gytunodd yn y diwedd. Roedd o'n brofiad reit annifyr y tro cynta, rhaid i mi gyfadde, yn trio gwthio fy mraich drwy'r bloneg go helaeth oedd ar dopiau coesau Beryl, ond roedd o'n ddigri ar yr un pryd. Ro'n i ac Awel yn giglan, Beryl a Siân yn gwichian a phawb arall ar eu cefnau ar lawr.

O'r diwedd, rhoddwyd yr wythwraig a'r fflancars yn eu lle, a dyna lle buon ni'n gwthio a hwffio y blydi peiriant am oes, heb iddo fo symud modfedd.

Ysgydwodd Dafydd ei ben. "Chi angen ymarfer tamed bach mwy wi'n credu. Fe ddaw, fe ddaw. 'Na fe am heno, rown ni gynnig ar daclo wythnos nesa, a bydde'n syniad i chi gyd brynu *gumshields*... rhag ofan!"

* * *

Roedd Siân Caerberllan yn pasa benthyg *gumshield* ei brawd nes i ni egluro iddi pam na fyddai hynny'n syniad da. Aeth Menna i brynu hanner dwsin, a daeth criw acw y noson honno i gael ffiting.

Fel roedd y *gumshields* i gyd yn prysur stemio yn fy mhowlan gwneud cacen i, daeth Wayne i mewn o'i waith yn gacen o fwd, fel arfer.

"Be 'di hyn? Y W.I. yn gosod dannedd yn lle bloda? 'Dach chi'm yn gall."

" 'Dan ni'n dysgu taclo nos Fercher, felly 'dan ni jyst yn bod yn ofalus." protestiodd Menna.

" 'Dach chi o ddifri'n pasa chware go iawn ydach chi? Ma' isio sbio'ch penna chi. Dwi a'r hogia yn gweithio'n gyts allan i gadw'n teuluoedd efo to uwch eu penna a bwyd yn eu bolia, ac mae'n gwragedd ni yn chware plant bach yn lle gneud blydi swper." Ac aeth i wneud paned. Ond doedd 'na'm dŵr ar ôl yn y tecell wrth gwrs. Aeth i'r lolfa wedi llyncu mul, heb dynnu ei sgidie, y crinc.

"Tydi Arwel ddim yn rhy hapus 'mod i'n chware 'chwaith," medda Awel.

"Mae 'nacw run fath," cytunodd Gwenan, "ond geith o fynd i grafu. Dwi'm 'di gneud rwbath i mi fy hun ers blynyddoedd. Mae pob uffar o bob dim dwi'n ei 'neud yn troi o gwmpas y plant a fo. Dwi'n gneud y bwyd maen nhw isio pan maen nhw isio fo, clirio ar eu hôl nhw, golchi a smwddio dillad fel eu bod nhw'n cael gwisgo be maen nhw isio pan maen nhw isio, mynd â nhw'n y car i lle maen nhw am fynd ar amser sy'n eu siwtio nhw, a chau 'ngheg pan dwi isio gwylltio, rhag ofn i mi'i ypsetio fo.

Ond mae petha yr un fath yn union i chi'ch dwy, tydyn?" Trodd at y dair ddibriod: "Peidiwch â hastio i briodi genod, oni bai eich bod chi wir isio bod yn blincin slêf."

Roedden ni gyd yn geg agored. Nid jyst am ein bod ni wrthi'n mowldio'r *gumshields* i dop ein cegau chwaith. Doedd Gwenan rioed wedi siarad fel'na yn ein cwmni ni o'r blaen. A finna'n meddwl ei bod hi'n hogan mor fodlon ar ei byd.

"Mae petha'n iawn acw, yndyn?" holodd Menna yn ofalus.

"Duwcs yndyn. Fi sydd rioed 'di gneud uffar o'm byd i blesio fy hun o'r blaen ynde? Wel, mi gawn nhw i gyd blydi wel dod i arfer efo fo!"

"Go dda chdi hogan!" chwarddodd Beryl. "Mae'r rygbi 'ma'n gneud byd o les i ni gyd, tydi?"

# Pennod 6

RO'N I'N TEIMLO mor od efo'r *gumshield*. Mi fues i'n syllu ar fy hun yn y drych am oes cyn mynd i'r ymarfer. Tydyn nhw ddim yn betha *glamourous* iawn. Mi wnes i'n siŵr na chafodd Wayne fy ngweld i'n edrych fel'na, mae o'n gwneud cymaint o ffys weithia. Ond dwi'n falch ein bod ni wedi'u gwisgo nhw.

Taclo bag glas, anferth oedd yn f'atgoffa i o *weeble* fuon ni i ddechra. Roedd Dafydd yn dangos i ni sut oedd gwneud :

"Anelwch am rywle rhwng y penlinie a'r pen ôl. Yr ysgwydd sy'n taro, pen yn ddiogel mas o'r ffordd fel hyn, a'r breichiau yn gafael yn dynn. Nawrte, pwy sy am roi'r cynnig cynta?"

Camodd Carys ymlaen sheden cyn Menna. Roedd hi fymryn yn sidêt, ond yn eitha da. Braidd yn wyllt oedd Menna. Mi hitiodd hi'r bag mor galed, mi wnaeth fflic-fflac drosto fo nes oedd hi'n gweld sêr.

"Ardderchog!" chwarddodd Dafydd gan ei helpu hi'n ôl ar ei thraed. "Addewid pendant man 'na... ongl ychydig yn well y tro nesa 'falle... a'r nesa?" Fedrwn i'm peidio sylwi ar wyneb Carys. Mi hitodd hitha'r peth fel bat owt of hel pan ddaeth ei hail gynnig.

Llwyddodd Beryl i gael llond ceg o faw pan luchiodd hi ei hun ato fo fel tanc, a jyst i Dafydd fynd ar ei din.

Brifo 'ngwar fymryn wnes i. O'n i'n poeni y bysa Nia yn torri'n ei hanner ond mae hi'n fwy tyff na mae hi'n edrych. Mae 'na rywbeth ynddi sy'n f'atgoffa i o Uma Thurman weithia, mae hi'n gallu edrych yn uffernol o ddel a dwi'n gwybod bod 'na gryn hanner dwsin o hogia dosbarth Mali efo uffar o grysh arni. Ond Iesu, mae hi'n denau.

Roedden ni i gyd yn edrych ymlaen yn arw at weld Siân Caerberllan... a chawson ni mo'n siomi. Ar ôl bownsian yn ei hunfan am chydig, dyma hi'n rhedeg nerth ei choesau (ond mae 'na fwy o nerth mewn sleisan o giwcymbar) ac ymosod. Yn anffodus, roedd hi wedi cau ei llygaid rhyw ddwylath i ffwrdd ac mi fethodd y bag yn llwyr, taclo awyr iach a glanio fel sach o datws ar ei bol. Ond mi wellodd ei thaclo a'i bol ar ôl i Dafydd egluro iddi nad ydi rygbi yn gêm i'w chwarae efo'r llygaid ar gau.

"Nawrte," medda Dafydd toc, gan roi'r bag i'r naill du, "Mae taclo bag yn un peth, ond mae taclo corff sy'n dod atoch chi ar garlam yn rhywbeth cwbl wahanol..." a dyma ddechra arni o ddifri.

Ro'n i'n gorfod taclo Menna. Doedd hi'm yn rhedeg ataf i yn ofnadwy o gyflym chware teg, achos doedd hitha ddim isio brifo chwaith. Ond yr argol, ges i sioc. Roedd Dafydd yn iawn. Mae esgyrn yn brifo.

Doedd gan Beryl ddim llwchyn o ofn, ac mi fu'n ein lluchio ni o gwmpas y lle fel dolis clwt nes roedden ni'n gleisiau byw. Bron i Tracy roi slap iddi.

Roedd Awel yn un anodd i'w thaclo am fod ganddi gluniau mor gul. Ond ro'n i'n benderfynol o'i llorio hi ar fy nhrydydd cynnig. Mi driodd wibio heibio i mi ar y chwith, ond ro'n i'n barod amdani, ac mi lwyddais i gael gafael am ei chluniau hi. Roddodd hitha ei llaw allan i wneud *hand off* ar yr un pryd (er mai 'hwp llaw' mae Dafydd yn ei alw fo). Mi weithiodd, achos mi ollyngais i 'ngafael yn go handi. Mi fysach chitha hefyd tasa rhywun yn stwffio cledr eu llaw i'ch llygad chi. Wnes i rioed feddwl y bysa Awel, o bawb, mor gystadleuol. Diwedd y gân oedd fod gen i lygad biwsgoch boenus oedd bron â throi'n ddu yn barod. Am ryw reswm, roedd Beryl a Menna yn meddwl bod y peth yn destun hwyl garw, yn rowlio ar lawr y stafell newid yn deud petha plentynnaidd am bandas a ryw betha hynod ffraeth fel'na. Ymddiheuro o waelod calon wnaeth Awel wrth gwrs. Ond roedd ganddi hitha wefus dendar ar ôl cael cnoc ar ei cheg. Lwcus bod ganddi *gumshield*. Bechod nad oedd gen i helmet fatha'r bois American ffwtbol 'na.

Do'n i'm yn edrych ymlaen at fynd adre. O'n i wedi gobeithio y bysa Wayne yn ei wely, er mwyn gohirio'r ffrae tan y bore, ond na, roedd o'n gwylio golff ar y bocs a chan o *Stella* yn ei law. Es i'n syth i'r gegin.

"T'isio paned?"

"Na, gen i hanner hwn ar ôl," medda fo, yn cymryd sloch arall o'i *Stella*.

"A' i i 'ngwely 'ta."

"Llinos… tro rownd."

Damia. Ro'n i hanner ffordd drwy'r drws. Sefyll yno wnes i am chydig, yn trio meddwl yn gyflym a methu'n rhacs.

"Llin, ti'n cuddio rwbath, dwi'n dy nabod di'n ddigon da erbyn hyn, yntydw?"

Damia, damia, damia. Mae o'n iawn, dwi rioed wedi llwyddo i ddeud clwydda wrtho fo, mae o'n gallu gweld drwydda i yn syth. Doedd gen i'm dewis ond troi rownd. Aeth llond ceg o *Stella* dros y bwrdd coffi.

"Be ddiawl? Ti'n edrych yn uffernol! Be sa'n ti dwa'? Ti'n edrych yn union fel hen hŵr 'di bod mewn sgrap. Blydi hel! Siawns na 'nei di roi'r gore i'r sioe wirion 'ma rŵan?" Aeth ymlaen ac ymlaen.

Roedd 'na ddigon y gallwn inna fod wedi'i ddeud wrtho fynta, ond doedd gen i'm awydd, ac roedd fy llygad i'n brifo, felly mi godais fy llaw, nodio 'mhen i gytuno efo pob dim roedd o'n ei ddeud, a throi am y llofft. Ddaeth o'm i'r gwely am oes. Er 'mod i'n hollol effro oherwydd y boen, cogio 'mod i'n cysgu wnes i pan stompiodd o i mewn, yn amlwg wedi dod o hyd i fwy o ganiau Stella. Ar ôl gollwng uffar o rech cyn taflu ei grys ar y llawr, oedd o'n chwyrnu'n braf bron cyn iddo fo dynnu'i sgidie. Dal i syllu ar y nenfwd fues i am oes. Do'n i erioed, mewn saith mlynedd o briodas, wedi cogio cysgu pan ddaeth o i'r gwely o'r blaen. Ella ei fod o'n hen grinc blin weithia, ac yn ddiawchedig o hunanol, ond dwi rioed wedi cael achos i gwyno am ein bywyd rhywiol ni. Ond erbyn meddwl, chefais i rioed y cyfle i'w gymharu o efo neb arall.

Doedd gen i'm dewis ond mynd i siopa y diwrnod wedyn, roedd y rhewgell yn wag ar ôl i Wayne stwffio'i hun yn ei stremp neithiwr. Mi wisgais i sbectol haul er nad oedd 'na lygedyn o haul i roi esgus i mi. A phwy welais i wrth groesi'r sgwâr ond Anna. Fedrwn i'm ei hosgoi hi heb iddo fod yn ddigywilydd o amlwg. Roedd hi'n edrych yn ffantastic fel arfer, siaced swêd newydd sbon a'i gwallt hi'n sgleinio'n gochfrown (er mai lliw llygoden oedd o'n yr ysgol, fel f'un i, tasa gen i'm *streaks* melyn). Roedd y babi ganddi yn y goets a Fflur yn gafael yn ei llaw, y ddau yr un mor blincin perffaith yr olwg â'u mam. Mae 'na rai mamau yn llwyddo i edrych fel'na bob amser, mae 'na rai eraill, fel fi, sy prin yn gallu rhoi crib trwy 'ngwallt fy hun heb sôn am y plant. A rŵan bod y ddau yn yr ysgol, does gen i'm esgus.

"Sut wyt ti ers talwm?" holodd Anna yn fonheddig gan lygadu fy sbectol. "Noson fawr neithiwr?"

"Ddim felly," atebais inna yn gwenu'n ddel a newid y pwnc yn reit handi. "Licio dy gôt di... neis."

"Presant gan Dylan. Fuon ni yng Nghaer ddydd Sadwrn diwetha. Ti'n gwybod fel mae o'n rhoi *treats* bach i mi bob hyn a hyn." Gwyddwn. Bach? Côt swêd? Dwi'n lwcus os ga i gardigan gan Wayne fel anrheg Dolig.

Mi fuon ni'n rhyw fân siarad am chydig, nes i Beryl ddod allan o'r siop cemist gyferbyn.

"Woooo... licio'r shêds. Ha... gest ti uffar o glec yndo? Ydi hi 'di troi'n ddu? Ty'd, gad i ni weld."

Damia. Damia, damia, damia. Diolch Beryl. Felly mi dynnais fy sbectol a sbio i fyw llygaid Anna.

"Waw, dyna i chdi be ydi sheinar!" chwarddodd Beryl. Ddeudodd Anna run gair, ond roedd y wên smyg, afiach 'na ges i yn deud cyfrolau.

Ro'n i jyst â hitio Beryl.

Aeth petha o ddrwg i waeth. Pwy weles i yn y siop ffrwytha ond Mam.

"Dow, be 'di'r sbectol haul grand 'ma sgen ti? *Delusions of grandeur?*"

"Mae'r *optician* 'di deud 'mod i angen nhw i ddreifio."

"Ond mae'r car gan Wayne. Weles i o gynna."

"Trio dod i arfer ydw i."

"Llinos... ti'n rwdlan. Be ti 'di 'neud?"

Fedra i'm deud celwydd wrth neb, beryg. Gan baratoi ar gyfer y ffrwydriad, mi dynnes i'r sbectol i lawr fy nhrwyn fymryn. Ond roedd Mam yn fud.

“Hapus rŵan?” medda fi’n dalog i gyd, “gerddes i i mewn i’r drws neithiwr.”

“Llinos... ti’n dal i’w palu nhw ’dwyt?” Ond ro’n i wedi cael llond bol. Es i i dalu am y ffrwythau, deud wrth Mam y byswn i’n dod draw ddydd Sul, a mynd adre reit handi.

# Pennod 7

Prosiect nesa Dafydd oedd trio cael rhyw fath o siâp ar ein safleoedd ni. Roedd y rhaniad cynta o gefnwyr a blaenwyr yn eitha amlwg. Y genod bach eiddil, cyflym i'r cefn, a'r rhai mwy yn y blaen.

Roedd y lein owt cynta yn ddifyr. Manon, hogan o'r chweched oedd y bachwr. Mae hi'n saethwraig yn nhîm pêl-rwyd yr ysgol, ac felly'n eitha da am anelu. Roedd pawb dros bum troedfedd pedair modfedd yn y lein owt am y tro, ac Awel a minna fel dwy jiraff yn eu canol nhw.

Roedd Menna yn *scrum half* – sori – mewnwr, ac wrth ei bodd.

Daeth Dafydd i ganol y llinell i ddangos sut oedd mynd ati. Pan luchiodd Manon y bêl, fo ddaliodd hi a hynny heb drafferth yn y byd.

"Dewch nawr, ferched... so chi'n treial." Roedd o'n llygad ei le, ond sylwodd o ddim ar y wên oedd ar wyneb pob merch oedd y tu ôl iddo fo.

"Ty'd i fa'ma i flaen y llinell i ni gyd gael gweld," cynigiodd Beryl oedd wedi sylwi ar y llygaid yn serennu yn y cefn. Ac ufuddhau yn ddigwestiwn wnaeth y creadur wrth gwrs. Chafodd o ddim cystadleuaeth yn fan'no chwaith. Roedd o'n gwisgo pâr o Ron Hills, trowsus sy'n debycach i deits, y noson honno, ac roedd ei ben-ôl perffaith o yn werth ei weld, yn enwedig yn yr awyr reit o flaen eich trwyn chi. Roedden ni i gyd, pob wan jac yn glafoerio. Mi gafodd ei yrru i bobman yn y llinell fel bod pawb yn cael cyfle, a doedd o ddim callach. Chwarae teg i Carys, roedd hitha'n gweld yr ochor ddigri.

Yn y diwedd, mi benderfynon ni adael llonydd i'r creadur a mynd ati o ddifri i neidio am y bêl, a wir i chi, roedden ni'n grêt. O'r diwedd, dyma elfen o'r gêm oedd ddim yn ddiarth i ni. Toeddan ni gyd wedi hen arfer wrth chwarae pêl-rwyd? Roedd Manon yn anelu'n wych a'r bêl yn llifo allan fel hufen i ddwylo parod Menna, dro ar ôl tro.

Dyma fynd ymhellach wedyn, y bêl yn mynd o'r llinell, ar hyd y cefnwyr ac yna i'r llawr ar alwad Dafydd. Rycio ac ati dros hwnnw wedyn a'r ail feddiant yn dechra. Roedden ni ar goll yn llwyr ar y dechrau wrth gwrs, pawb yn rhedeg i bobman fel haid o wyddau yn clwcian a fflapian, ond cyn hir, roedden ni gyd (ar wahân i Siân Caerberllan, oedd ar blaned arall) wedi 'dallt y dalltings' ac yn mwynhau'n arw, yn sgrechian a gweiddi, yn teimlo ein bod ni'n dîm go iawn o'r diwedd. Roedd 'na wên fawr ar wyneb Dafydd hefyd. Doedd neb yn gallu cicio yn rhy dda, ond mater o arfer fyddai hynny, medda fo.

Ges i afael ar gapten tîm rygbi y coleg ar ôl rhyw ddeuddydd o holi.

*"It would be our first ever game,"* eglurais, *"we probably won't be that good."*

*"No worries,"* medda hitha. *"We've all had to start somewhere. How about three weeks next Sunday? We'll organise everything, the ref, the pitch and the food."*

Felly roedd ganddon ni dair wythnos i gael siâp ar betha. Aeth Dafydd i gêr uwch. Mi fu'n ein llusgo o gwmpas y cae 'na yn ddidrugaredd, yn gwneud i ni ymarfer fel ffylied, ac ar ben hynny, roedd pawb oedd â rhywfaint o egni ar ôl yn byw a bod yn y pwll nofio a'r gym. Ar ôl wythnos a hanner o hyn, daeth Siân Caerberllan ataf i ar ddiwedd lladdfa gwaeth nag arfer. Roedd hi wedi bod mor bathetig ag arfer y noson honno, gwaeth os rwbath.

"Llinos? Ga i air?" Roedd hi ar fin crio. Es i'n famol i gyd yn syth, ail natur ar ôl magu dau, beryg.

"Be sy 'ngenath i?"

"Fedra i mo'i 'neud o. Dwi 'di trio 'ngore, wir yr. Dwi'n gwbod eich bod chi'm yn meddwl 'mod i'n trio, ond mi ydw i!" a dyma'r dagrau'n dechra llifo. Rois i 'mraich amdani, a gadael iddi ddeud ei deud.

"Fues i r-rioed yn gallu rh-rhedeg. Dim ond yr wy-wy-wy ar lwy o'n i'n cael 'neud yn sborts ysgol fach, a hynny 'mond-'mond am fod Mr.Davies yn teimlo drosta i. Fed-fedra i'm neidio na taclo na dal na lluch-lluchio pêl, a ma' pawb yn chwerthin am-am-am 'y mhen i...!" Dyma hi'n dechra nadu go iawn, a rhai o'r genod eraill yn dechra dod draw i fusnesa, ond mi chwifiais i nhw i ffwrdd reit sydyn. Ro'n i'n teimlo'n uffernol. Roedd pob gair roedd hi wedi'i ddeud yn wir, ac mi ro'n i ymysg y gwaetha am dynnu ei choes hi.

" 'Dan ni'm yn ei feddwl o 'sti..." medda fi.

"O-o ydach. Dwi'm yn ddwl 'sti. Dwi-dwi'n gwbod yn iawn 'mod i'n blydi hoples. Dwi wastad wedi bod yn bly-bly-blydi hoples. O'n i 'di anghofio pa mor gas oedd pawb e-efo fi yn ysgol, byth is-isio fi yn eu tîm nhw ond rŵan mae o'n teimlo'n waeth nag erioed." Roedd ei hwyneb hi'n socian a'i thrwyn hi'n rhedeg fel tap.

"Siân, yli, ga i air efo pawb, fydd neb yn dy haslo di o hyn allan, a –"

"Does 'na'm pwynt, ocê! Dwi'n rhoi'r gore iddi a dyna fo. Welwch chi mo 'ngholli i, dwi'm byd ond niwsans." Sychodd ei thrwyn efo'i llawes.

"Siân..."

"O'n-o'n i'n meddwl ella 'swn i'n gallu gneud rwbath arall i helpu. Rwbath dwi'n wbod 'mod i'n gallu'i 'neud."

"Y... be 'sgen ti mewn golwg yn union?" Allai hyn fod yn annifyr.

"Yr ochor ariannol; trefnu bysys, orennau ar gyfer hanner amser, petha fel'na?" Roedd hi'n berffaith iawn unwaith eto. Cyfrifydd ydi hi wedi'r cwbwl. Mae hi'n un ara' am symud ac i ddeall jôcs a ryw betha fel'na, ond 'rargol, mae hi'n wych efo syms, wastad wedi bod.

Ar ôl cawod a newid – a doedd 'na neb yn swil bellach, roedden ni gyd yn mynd am gawod ar ein penna, tydi rygbi ddim yn gêm i genod swil – ges i air sydyn efo Dafydd ac yna cyhoeddi i bawb ein bod ni wedi penodi Siân Caerberllan fel trysorydd y clwb. Chware teg i'r genod, roedden nhw i gyd wedi deall y sefyllfa ac mi gafwyd bloedd o gymeradwyaeth a dim heclo.

"Gan ein bod ni gyd 'ma," medda Dafydd wrth godi ar ei draed, "wi'n credu y dylen ni benodi cadeirydd, ysgrifennydd a chapten heno 'fyd. Chi'n cytuno?"

"Iawn, grêt," medda Menna, "ond be'n union mae cadeirydd ac ysgrifennydd fod i 'neud?"

"Cadeirio cyfarfodydd fydde cadeirydd, Menna..." gwenodd yr hync arni. Wnaeth hitha ddim digio efo'r coegni amlwg, dim ond gwenu'n ddel yn ôl. Ro'n i'n dechra amau fod yr hen Menna eisoes wedi cael ei ffordd efo fo rywsut.

"Trefnu gemau, cysylltu gyda chlybiau eraill, pethach fel'ny fydde swydd yr ysgrifennydd."

"Sef be mae Llinos yn ei 'neud yn barod?" holodd Beryl.

"Wel ie, ond bydde'n well 'da fi petaech chi'n dewis rywun arall, mae 'da fi gynllunie mowr i Llinos," medda fo.

A dyma pawb yn troi i sbio arnaf i efo llygaid fel sosbenni.

"Oi, mae hi 'di priodi y sglyfath!" gwichiodd Tracy.

Ond chymerodd Dafydd ddim sylw o'r giglan:

"Wi'n credu y bydde Llinos yn gapten da iawn, so chi'n cytuno?"

A fel'na ges i 'mhenodi yn gapten. Asu, ro'n i'n *chuffed*. Aeth y fodca ges i gan Beryl i lawr fel dŵr. Awel gafodd swydd y cadeirydd, a Beryl oedd yr ysgrifennydd, gan fod y bosys byth yn sylwi pan oedd hi'n defnyddio'r ffôn a'r llungopiwr ar gyfer petha sydd â wnelo nhw uffar o'm byd efo gwaith.

Ro'n i'n gwenu fel giât uwchben fy ail fodca pan ddaeth Menna ataf i.

"Yyy... Llin, dwi'm yn siŵr sut i ddeud hyn wrthat ti, ond mi fuo Mam yn fy holi i'n dwll amdanat ti a Wayne neithiwr."

"Fi a Wayne? Ers pryd mae dy fam di'n ymddiddori gymaint yn 'y mywyd personol i?"

"Ers iddi fod yn siarad efo dy fam di."

"Y?"

"Mae dy fam yn poeni'n ofnadwy erbyn gweld. 'Di bob dim yn iawn, ydi?"

"Ydi! Blydi hel, ydi! Dwi'm yn coelio hyn. Be'n union ddeudodd hi ?"

Pesychodd Menna yn embaras i gyd. "Yyyy... ddim llawer, oedd hi'n eitha *cagey*, ond oedd hi isio gwbod os oedd Wayne yn dy... ym... labio di."

Ro'n i'n fud. Roedd gen i gur pen uffernol yn codi.

Os oedd mam Menna yn meddwl fod Wayne yn fy ffustio i, roedd y blydi dre i gyd, os nad y sir wedi cael clywed. Ac ar wahân i un slap ges i am roi snog Dolig i Arwyn Ty'n Cae ddwy flynedd yn ôl, tydi'r creadur rioed wedi cyffwrdd blaen ei fys ynof i, heblaw am pan fyddan ni'n ryw reslo gwirion ar fore dydd Sul neu rwbath, ond prin fod hynny'n brifo. Tybed oedd Jên a Wil drws nesa wedi'n clywed ni? Mae'r waliau 'na fel papur tŷ bach, 'dan ni'n gallu clywed pob rhech, pob gwich o'u tŷ nhw.

"Llin? Ti'n iawn? Ti'n llwyd fatha llymru." Roedd pawb yn sbio'n wirion arnaf i.

"Fodca wedi mynd i 'mhen i. Ddo i nôl yn y munud."

Mi fues i'n ista ar y pan am oes yn hel meddylia, yn trio gwneud synnwyr o betha. Wedyn es i i molchi 'nwylo. Ro'n i newydd godi 'mhen i sbio yn y drych pan ddaeth Menna i mewn.

"Ti'n iawn?"

A dyma fi'n dechra piso chwerthin, chwerthin nes roedd y dagrau'n powlio, a Menna yn sbio arnaf i fel taswn i'm hanner call.

"Ti 'di meddwi?"

"Naddo. Sbia!" a dyma fi'n pwyntio at y mymryn melyn oedd yn weddill o'r llygad ddu.

"Aha. A fuo dy fam rioed yn un dda efo syms naddo ?"

Es i adra'n reit handi i roi galwad i Mam ac mi ofalodd Menna fod ei mam hitha yn rhoi taw ar y stori reit handi. Doedd Wayne ddim yn meddwl fod y peth yn ddigri o gwbwl, ac mi roedd o'n flin uffernol efo Mam am feddwl ffasiwn beth. Ond mi lwyddais i i wneud iddo fo anghofio. Mae'r rygbi 'ma wedi gwneud y petha rhyfedda i'n *sex drive* i. Ac mae'r bloneg 'na wedi diflannu. Y cleisiau sy'n hyll rŵan. Ond mae'n debyg eu bod nhw'n cilio ar ôl i'r corff galedu ac arfer.

# Pennod 8

ROEDD YR AWYRGYLCH yn y stafell newid yn drydanol. Pawb yn ysu am gael rhedeg ar y cae ond eto yn cachu plancia. Ro'n i wedi bod yn y lle chwech hanner dwsin o weithia yn barod – deirgwaith cyn gadael y tŷ. Nyrfs was bach, do'n i heb fod fel hyn ers diwrnod 'y mhriodas. Mi fues i'n byw ac yn bod ar y toilet y bore hwnnw hefyd, o'n i'n dal i fedru teimlo ôl y sêt drwy'r seremoni yn y capel.

Roedd Dafydd wedi dangos i hoelion wyth y sgrym sut i roi stribedi o fandej am ein pennau a'n clustiau a'u cadw yn eu lle efo tâp du. Efo'r *gumshields* yn eu lle hefyd, roedden ni'n edrych yn gythgiam o beryg. Fel roedden ni'n ymladd efo'r tâp du 'ma oedd yn glynu i bob dim heblaw'r blydi bandej, roedd Menna yn y drych efo'i mascara a'i lipstic.

Doedd Beryl methu credu ei llygaid:

"Blydi hel Menna! Ti 'rioed ar ôl y reff?!"

"Drycha, Beryl," trodd Menna i'w hwynebu, "jyst am 'mod i'n chware rygbi, sna'm rhaid i mi anghofio mai merch ydw i nagoes? Dwi'n digwydd credu y dylwn i wastad ofalu 'mod i'n edrych fy ngore, a tydw i'm yn pasa gadael i'n safonau *i* ddisgyn, hyd yn oed os 'dach chi i gyd yn ymhyfrydu yn y ffaith eich bod chi'n edrych yn arbennig o hyll ar hyn o bryd. Ocê?"

Daeth ton o amrywiol sanau, sgidie, brechdanau a photeli shampŵ o bob cyfeiriad a'i stido hi. Ond roedd ei lipstic hi'n dal yn berffaith. O'n i'n deud mai actores ddylia hi fod, toeddwn?

"Asu, mae'r stwff 'ma'n drewi." Roedd Awel wrthi'n plastro eli dros ei choesau, sy'n cymryd cryn dipyn o amser efo'r coesau coed pîn 'na sydd ganddi hi. Chwistrellu *Deep Heat* dros ei choesau oedd Gwenan.

"Be uffar ti'n 'neud?" holodd Manon, "Ar ôl y gêm ti fod i 'neud hynna siŵr!"

"Ti byth yn gwbod," eglurodd hitha, "ella 'neith o helpu i mi beidio brifo yn y lle cynta."

Roedd Siân Caerberllan yn ffaffian ar hyd y lle yn ei thracsiwt newydd, yn helpu pawb ac yn fwy o niwsans na dim arall. Ond roedd hi'n help mawr i mi. Roedd fy mysedd i'n crynu gormod i gau careiau fy sgidie yn iawn.

"Nawrte," medda Dafydd, "chi gyd yn barod? Dewch o 'nghwmpas i mewn cylch 'ten." Felly dyma ni gyd yn codi ar ein traed, plethu'n breichiau am ysgwyddau ein gilydd a gwrando ar Y Meistr. Roedd Menna wedi gofalu ei bod hi wedi'i gludo i asennau Dafydd wth gwrs. "Wi moyn i ni 'neud hyn cyn bob gêm o hyn ymlaen, cwtshio lan at ein gilydd fel hyn a mynd mas gan deimlo i'r byw mai tîm y'n ni. Wi moyn i chi ddeall eich gilydd, bod yn ymwybodol o'ch gilydd, ware 'dach gilydd –" Mi ddechreuodd Gwenan giglan, ond rois i gic reit sydyn yn ei ffêr hi. "Mae'n rhaid i bob un ohonoch chi roi popeth sy 'da chi i mewn i'r gêm hon, gant y cant. Taclo popeth sy'n symud; os chi'n cael eich taclo, codwch lan yn syth, wi moyn chi ar eich traed prin cyn i chi fwrw'r llawr. Llinos, ti sy'n gofalu eu bod nhw'n rhoi cant y cant, bydd yn esiampl; Menna, wi moyn y bel 'na mas i Carys yn gloi a dim cico oni bai ei fod e'n gwbl angenrheidiol; cefnwyr – dwylo da, pidwch â thynnu'ch llyged oddi ar y bêl 'na. A thaclwch fel 'sech bywyde chi'n dibynnu arno fe. Blaenwyr, pidwch â rhoi cyfle iddyn nhw anadlu, *pressure pressure pressure*, na beth wi moyn. Nawrte, jogwch 'da fi..."

A dyma clecian rythmig y styds yn dechra... ac yn cyflymu.

"Na fe, adeiladwch e lan 'da fi... mwy... mwy... MWY!" Roedden ni gyd yn sownd yn ein gilydd, yn symud fel un, yn meddwl fel un. Roedd hyd yn oed Gwenan wedi ei hudo gan emosiwn y ddefod, a'i thraed hi fel pawb arall yn stido'r teils fel ffŵl. Roedd y sŵn yn wych.

"Chi'n mynd i'w curo nhw'n rhacs... Beth chi'n mynd i wneud?"

"Eu curo nhw'n rhacs?" cynigiodd ambell un.

"PAWB!" rhuodd Dafydd. "BETH CHI'N MYND I WNEUD?"

"EU CURO NHW'N RHACS!!" gwaeddodd dwy ar bymtheg o ferched gwyllt, eu traed yn drybowndian, eu calonnau yn pwmpio a'u llygaid yn fflachio.

"Awn ni am ddeg nawr, gyda fi... cadwch y tra'd 'na i fynd... UN DOU TRI PEDWAR PUMP CHWECH SAITH WYTH NAW DEG! ETO!! YN GLOUACH! UN DOU TRI PEDWAR..." Roedden ni'n sgrechian erbyn hyn, adrenalin yn pwmpio drwyddan ni, roedden ni'n ysu am gael gafael yn y bêl 'na, a stwmpio'r gelyn yn ddwfn i'r pridd. Roedden ni wedi tyfu droedfeddi yn dalach, balchder yn llifo drwy'n gwythiennau ni a'r hen ysbryd Celtaidd wedi ffrwydro i'r wyneb.

"Mas â chi nawr, a cleddwch nhw."

Roedd y cae yn wag ar wahân i hen ddyn a'i gi a llond llaw o blant mewn cotiau Adidas. Fel roedden ni'n ymestyn a chynhesu a thaflu'r bêl o gwmpas, daeth sŵn taranu styds y gelyn o'u stafell newid nhw. Roedden nhw'n gweiddi fel bleiddiaid yn udo am waed.

"Shit," medda Awel wrth golli'r bêl, "maen nhw'n swnio'n dda tydyn?"

Aeth fy stumog i'n giami.

"Ddo i nôl yn 'munud," medda fi a'i heglu hi am y bog. Jyst i'r dyfarnwr gael hartan wrth i mi beltio heibio fo yn y drws.

Mi fues i'n griddfan yno am oes. Taswn i 'di cael hanner cyfle, 'swn i wedi mynd adre'r munud hwnnw. Pan ddois i nôl allan ar goesau jeli, roedd y dyfarnwr a chapten y myfyrwyr yn aros amdanaf i.

"Cynffon," medda fi. "Pen" medda'r darn deg ceiniog. Roedden nhw am gicio gynta.

Er bod Dafydd wedi ein gosod ni yn ein safleoedd droeon ar gyfer dechra'r gêm fel hyn, roedden ni gyd fel hetia yn crwydro'r cae fel tasen ni rioed wedi gweld gêm rygbi yn ein bywydau. Roedd Beryl a Gwenan ynghanol ein cefnwyr ni nes i Dafydd ruo arnyn nhw o'r ystlys. Ro'n i wedi bod yn rhy brysur yn sbio ar ein gwrthwynebwyr i sylwi. Roedden nhw'n edrych yn ifanc ac yn ffit, ac am ryw reswm, roedd coesau pob un ohonyn nhw'n frown. Efo'u crysau a siorts duon, smart a'u diffyg *cellulite*, roedden nhw'n edrych fel tîm go iawn. Drois i'n ôl i sbio ar ein criw ni. Crysau melyn mwstard, hyll, tyllog roedden ni wedi cael eu benthyg gan y clwb (set sbar y trydydd tîm mae'n siŵr), siorts o bob lliw a llun a genod o bob siâp. Roedden ni fatha Dad's Army yn erbyn yr S.A.S.

Aeth y chwiban a dyma'r bêl yn cael ei chicio i'n cyfeiriad ni. Roedden ni wedi disgwyl mwy o gic, felly roedden ni fymryn rhy bell yn ôl, ond daeth Beryl o rywle fel tarw, dal y bêl yn wych a throi i'n wynebu ni, yn gweiddi:

"Dowch i helpu'r bygars!" Ond roedden ni braidd yn rhy ara', y sioc o weld Beryl yn gwneud mor dda mae'n siŵr, a chyn i'r un ohonon ni ei chyrraedd hi, roedd ton fawr o grysau duon wedi neidio ar ei phen hi, ac roedd y bêl yn eu dwylo nhw o fewn eiliadau. Roedd hi'n llanast llwyr wedyn. Roedden ni'n taclo a thaclo ond rhywsut roedd y bêl yn mynd yn ddyfnach i mewn i'n hanner ni. Ges i gip ar Fflur y fflancar yn trio helpu Beryl ar ei thraed a honno'n gandryll:

"Anghofia amdana i – stopia'r blydi bêl 'na'r gloman!"

Cyn pen dim, roedd y bêl yn nwylo'r cefnwyr a hogan fawr, walltgoch yn taranu i lawr y cae, a'n genod ni fel rhes o ddominos wedi disgyn o'r tu ôl iddi a Dafydd yn gweiddi mwrdwr o'r ochor.

Tua degllath o'r llinell, dyma Tracy yn mynd amdani a chael *hand off* nes roedd hi'n grempog ar lawr. Dim ond Menna oedd rhyngddi hi a'r llinell gais rŵan. Ond ochrgamu wnaeth Ms Gwalltgoch, a disgyn ar ei thin wnaeth Menna. Roedd hi'n gais o dan y pyst, ac aeth eu tîm nhw yn wallgo, a'n tîm ni'n fud.

"Sori genod," mwmblodd Menna, fel roedden ni'n hel at ein gilydd o dan y pyst, "dries i 'ngore… roedd hi fatha slywen." Roedd hi'n amlwg ei bod hi jyst â chrio. Roedd hi'n bryd i mi drio ymddwyn fel capten.

"Reit, dowch yma, pob un ohonach chi. Roedden ni gyd fatha hetia fan'na, yn blydi anobeithiol, ond dwi'm 'di dod yr holl ffordd yma i fynd adre efo 'nghynffon rhwng 'y nghoesa a 'dach chitha ddim chwaith! Mae Dafydd wedi rhoi oria o'i amser prin i'n hyfforddi ni, a'r peth ola dwi isio'i 'neud ydi'i siomi fo. 'Dan ni 'di gweithio'n galed, uffernol o galed, a 'dan ni gymaint gwell na hyn."

Roedden nhw i gyd yn syllu ar eu traed. "Sbiwch arna i! Reit 'ta, ni pia'r gic nesa. A fyddan nhw'm yn gwbod be sy 'di hitio nhw, na fyddan? 'Mond blydi stiwdants ydyn nhw cofiwch! Dowch 'laen, ble mae'r tân 'na? Eu curo nhw'n rhacs ddeudon ni 'de? Cant y cant ddeudodd Dafydd 'de? A dyna be geith o... Awê genod!"

Roedd eu trosiad nhw wedi methu'r pyst. Mi gododd hynny chydig ar ein calonnau ni. 5-0 ar ôl pum munud. Gallai fod yn waeth.

Roedd cic Carys yn berffaith. A phan ddaliodd eu bachwr nhw'r bêl, mi gafodd ei chrensian i'r llawr gan Gwenan a minna ar yr un pryd. O fewn dim, roedd y bêl gan Beryl, ac i ffwrdd â hi fel taran a phawb arall yn sgrechian, "Go Big Bêl go!"yn ei sgil. Ond roedd genod y coleg yr un mor benderfynol. Doedden ni 'mond wedi llwyddo i ennill degllath pan welais i'r bêl yn nwylo eu mewnwr nhw. Damia, roedd hi'n saethu ar hyd y llinell i ddwylo eu hasgellwraig heglog nhw. Dim ond Anwen, ein cefnwraig ni, oedd rhyngddi hi a'r llinell, a doedd gan yr un ohonon ni obaith caneri o'i dal. Roedd Anwen druan yn amlwg yn cachu brics. Tydi hi'm yn un o'n taclwyr gorau ni, ond mae hi'n gefnwraig am fod ganddi ddwylo da a chic fel mul. Fedar hi ddim anelu ei chic, ond o leia mae'n mynd yn bell.

Roedden ni gyd yn gweddïo am iddi ei stopio hi. Pan oedd yr hogan heglog rhyw ddegllath i ffwrdd, roedd llygaid Anwen fel soseri a 'swn i'n taeru bod ei phengliniau hi'n crynu. A dyma hi'n lluchio ei hun at y cluniau hirion efo'i holl enaid. Ond rywsut, mi lwyddodd yr hogan i dynnu'i hun o'i gafael hi a dal ati am y gornel gan adael

Anwen yn fflatnar efo llond ceg o bridd. Damia, cais arall.

Ond do'n i heb sylwi ar Nia yn hedfan o ochor arall y cae. Roedd hi wedi dangos yn yr ymarferion ei bod hi'n gallu symud, ond erioed fel hyn. Roedd hi'n union fatha Linford Christie. Fel roedd Ms Heglog yn paratoi i blymio dros y llinell, mi gafodd ei hyrddio dros yr ystlys a Nia fel gelan am ei chluniau. Welais i rioed cystal tacl.

Roedd Dafydd a Siân Caerberllan yn neidio i fyny ac i lawr ym mhen draw'r cae:

"IIEEEEEEE!! Ffantastic! Nia, ti'n blydi briliant! 'Na fe ferched, fel'na mae ware!"

Mi fuon ninna yn ymddwyn fel pêl-droedwyr yn cofleidio Nia nes roedd hi prin yn gallu anadlu.

"Wyddwn i rioed dy fod ti'n gallu rhedeg fel'na!" chwarddodd Gwenan gan ei tharo ar ei chefn.

"Na finna," tagodd Nia.

*"Come on girls. Enough of that."* Roedd y dyfarnwr yn dechra colli amynedd, a'r tîm arall yn hen barod am y lein owt.

Roedden ni wedi trefnu be fyddai'r galwadau ar y ffordd yno yn y bws.

"42 dybl D!" medda fi efo gwên ar fy wyneb, ac aeth y bêl yn syth i ddwylo Awel, gan mai 34 AA ydi hi. Allan â'r bêl i Carys, a chic eitha da ganddi hi dros yr ystlys ryw bymtheg llath i fyny'r cae. Roedden ni wedi tanio o'r diwedd.

Ond ar ôl pum munud, roedden nhw wedi sgorio eto. Doedd ein taclo ni ddim yn wych o bell ffordd, ac yn lle cadw at ein safleoedd, roedden ni gyd yn dilyn y bêl mewn un haid swnllyd. 10-0.

Roedd llais Dafydd druan yn dechra mynd yn grug.

Cyn hir, aeth y bêl ymlaen o'u dwylo nhw, ac roedd hi'n sgrym am y tro cynta. Roedd y dyfarnwr wedi bod yn ddigon call a chlên i chwarae mantais hynny fedar o, tan rŵan. Chafodd Menna ddim cyfle i roi'r bêl i mewn, doedden ni'm wedi disgwyl y fath wthiad, ac aethon ni i lawr yn dwmpath blêr o goesau, breichiau a thuchan. Roedd 'na rywun yn eistedd ar fy ngwyneb i, a do'n i ddim yn hapus. Chwarae teg i'r dyfarnwr, mi ofalodd fod pawb yn holliach ac yna gofalu hefyd fod pawb yn gwybod be i'w wneud cyn gadael i neb wthio. Roedden ni wedi ymarfer sgryms ugeiniau o weithia, ond dim ond yn erbyn ein cefnwyr ni a Dafydd, erioed yn erbyn rhywbeth mor uffernol o gry' â'r sgrym yma. Ond roedden ni'n barod amdanyn nhw tro 'ma, a deud y gwir, ges i goblyn o drafferth stwffio 'mhen rhwng tinau Manon a Beryl, roedden nhw wedi sodro'u hunain mor anhygoel o dynn at ei gilydd. Pan gyfarfu'r ddwy garfan efo clec, ro'n i'n teimlo'n union fatha car yn un o'r peiriannau malu ceir 'na. Roedd griddfan Awel yn dangos ei bod hitha yn cael yr un profiad.

"Blydi hel," medda'i llais aneglur hi o ganol y stêm a'r coesau, "mi fydda i dair modfedd yn fyrrach ar ôl hyn."

Taflodd Menna y bêl i mewn ond roedd eu bachwr nhw'n rhy sydyn o beth coblyn. Prin welodd Manon druan y bêl. A dyma nhw'n dechra gwthio o ddifri, a sgrechian, *"Drive! Drive! Drive!"* ac am ryw reswm, doedden ni'm yn gallu ffeindio'r brêcs. Roedden ni'n cael ein bagio'n ôl am lathenni. 'Swn i 'di taeru ein bod ni ar olwynion. Ond yn y diwedd, mi sigodd y sgrym ac mi roedd gen i ben ôl yn fy ngwep unwaith eto.

Pan welais i olau dydd, roedd y bêl yn nwylo Ms Heglog.

Roedd llais Dafydd yn rhuo o'r ystlys:

"AR EICH TRA'D! PIDWCH Â RHOI LAN! STOPWCH HI!"

Roedd gen i awydd rhoi swadan iawn iddo fo. Erbyn hyn, roedd Anwen yn wynebu ei hen elyn, a myn coblyn i, mi lwyddodd i'w hyrddio i'r awyr. Mi gafodd yr hogan y fath sioc, mi ollyngodd y bêl yn syth i ddwylo Carys, fu'n sbio'n wirion arni am eiliadau hirion. Aeth Dafydd yn wallgo.

"WEL RHEDA YR AST WIRION!"

Mi wylltiodd Carys wedyn yndo, sôn am *eye of the tiger*, mi ddechreuodd redeg, was bach. Aeth hi drwy ddwy o'u taclwyr nhw fel tanc. A jyst cyn iddi gael ei llorio mi lwyddodd i basio'r bêl i Tracy, ac mi basiodd hitha i Nia. Doedd ganddyn nhw'm gobaith mul o'i stopio hi wedyn. Roedden ni'n sgrechian nerth ein penna a Dafydd yn rhuo nes aeth ei lais o'n wich.

Roedd yr eiliad 'na pan daflodd Nia ei hun dros y llinell yn un o eiliadau hapusa 'mywyd i, ar yr un silff â 'mhriodas a chael y plant. Ro'n i isio crio.

Ar ôl i Anwen fethu'r trosiad yn rhacs, roedd hi'n hanner amser. 10-5. Rhedodd Dafydd a Siân a'r eilyddion aton ni yn gwenu fel giatia'.

"Chi'n gwneud yn arbennig o dda ferched. Nia, ti'n blydi anhygo'l. Shwd bod ti heb redeg fel'na yn yr ymarferion gwêd?"

Gwenodd hitha yn swil. "Dwi'm yn siŵr, ond ro'n i'n benderfynol o beidio gadael i honna sgorio. Roedd gen i reswm i redeg, toedd? Rywun i anelu amdani, fel milgi ar ôl cwningen, ynde? A phan mae'r bêl yn dy ddwylo di, a'r llinell o fewn cyrraedd, mae o'n deimlad anhygoel, ti jyst yn gorfod mynd amdani, yn dwyt?"

Roedd Siân Caerberllan wedi dod a digon o ddiod ac orennau i'r pum mil gael picnic.

"Oes 'na rywun wedi brifo? Rhywun isio rwbath?"

"Peint o lager fysa'n neis," ochneidiodd Tracy. "Dwi mor uffernol o falch mai dim ond hanner awr bob ochor 'dan ni'n chware. Sut ddiawl mae dynion yn para mor hir dwa'?"

"Rargol, pwy ti 'di bod efo?" chwarddodd Menna. " 'Nei di 'nghyflwyno i iddo fo?"

Doedd 'na neb wedi cael anaf mawr, ond er mwyn rhoi cyfle i bawb, roedd Dafydd am i ddwy o'r eilyddion ddod ymlaen.

"Pwy sy moyn dod bant 'te?" Ond chafodd o'm ateb. "Beth? Chi gyd yn joio gyment?"

Oedden! Ond yn y diwedd, daeth Gwenan a Fflur y fflancar i ffwrdd. Doedd Fflur druan ddim wedi cael gêm rhy dda, tydi hi'm digon cyflym nag ymosodol i fod yn fflancar, ond doedd 'na 'run safle arall yn ei siwtio hi chwaith.

Roedd yr ail hanner ar ddechra. Roedden ni gyd ar flaenau ein traed tro 'ma, a rhyw nerth ac egni anhygoel wedi dod o rywle.

Ond cyn hir, roedden nhw wedi sgorio eto. Roedden ni'n camsefyll yn dragwyddol hefyd ac yn colli tir dro ar ôl tro. Roedd y reff yn canu, *"Stay behind the back foot, woman!"* fel cytgan. Ar ôl dwy gais arall iddyn nhw, roedden ni'n dechrau nogio. Roedd y sgrym yn uffern ar y ddaear bob tro gan fod Jackie ddim hanner cystal prop a Gwenan, a doedd ein cyrff druan ni jyst methu dal y straen bellach. Chwalai'r rheng flaen dro ar ôl tro. Roedd y cefnwyr bron â marw ar ôl gorfod amddiffyn yr holl, a Menna druan yn gweithio'n galetach na neb. Tra oedden ni'n aros am drosiad arall, aeth hi'n welw i gyd.

"Ti'n ocê Menna?" holodd Beryl, ond chafodd hi'm ateb, ar wahân i Crunchy Nut Cornflakes a darnau oren yn cael eu chwydu yn agos iawn at ei thraed hi.

"Sori genod," poerodd Menna. "Mi fydda i'n iawn rŵan. Ma' hwnna wedi bod yn pwyso arna i ers y dacl ddiwetha 'na. Asu, 'dach chi gyd yn welw iawn, be sy?"

Pan chwythwyd y chwiban olaf, roedd y sgôr yn 32-5.

Syrthiodd Beryl ar wastad ei chefn yr eiliad y clywodd hi'r chwiban.

"Yyyyyyy... dwi'n nacyrd. Fues i rioed mor nacyrd yn fy myw."

Ond rhaid oedd codi i ysgwyd llaw efo'r lleill, a gweiddi hip hip hwrê a gwneud twnel a ryw sioe. Mi wnes i 'ngore i swnio fel taswn i'n ei feddwl o, ond prin oedd gen i'r egni i agor fy ngheg heb sôn am weiddi.

*"You were very good considering it was your first game,"* medd Samantha y capten, ar y ffordd i'r stafell newid, *"a bit of work on the scrummaging and on your stamina and tackling and you may well beat us next time."*

Ro'n i wrth fy modd. Doedd Dafydd ddim yn anfodlon chwaith:

"Wi'n falch iawn ohonoch chi ferched. Ni gyd wedi dysgu lot fowr a bydd y gêm nesa yn stori gwbl wahanol..."

Gawson ni gyd ffit yn y gawod. Yn un peth, roedd o'n rhewi, a'r peth arall oedd fod pob un ohonon ni yn blastar o gleisiau yn y llefydd rhyfedda, a doedden ni heb eu teimlo nhw o gwbl ar y pryd.

"Dwi fatha blydi dalmatian!" gwichiodd Jackie. "No wê ydw i'n mynd i'r pwll nofio 'na wsnos nesa. Cheith yr *attendant* gorjys 'na mo 'ngweld i fel hyn. Fysa *false tan* yn eu cuddio nhw dwa'?"

"Ella 'neith o gynnig eu rhwbio nhw'n well i ti," medda Menna. "Dwi reit falch o'r rhain rhywsut. Creithiau'r frwydr... Iesu, sbia ar hwn... ôl styds ar 'y nhit chwith i yli..."

"Dos i ganu, mae'r rheina'n hen," medda Beryl. "Blydi hel, Menna! Ôl bysedd ydyn nhw!"

Trodd pawb i sbio ar fron batrymog Menna. Cochodd hitha at ei chlustiau a chuddio'r dystiolaeth efo'i thywel reit handi.

"Paid â malu cachu, styds ydyn nhw siŵr."

"No wê Hosê! Pwy fues ti efo neithiwr 'lly, y? Braidd yn or-hegar toedd? Pwy oedd o Men, ty'd 'laen...!"

Roedd gen i syniad go lew. A do'n i ddim yn or-hoff o'r syniad.

Ond tynnwyd sylw pawb oddi wrth fronnau Menna gan waedd o'r gornel. Roedd Awel yn gwingo mewn poen efo'i bra yn hongian o'i hysgwyddau.

"Be sy?"

"O'n i jyst yn trio cau hwn yn y cefn a dwi 'di brifo."

"Be? Jyst wrth 'neud dy fra?"

"Naci, o'n i'n ama' 'mod i 'di gneud rwbath pan ges i fy sathru gynnoch chi i gyd yn y ryc diwetha 'na. Roeddach chi fatha blydi *wildebeest* y bygars, a rŵan dwi methu symud 'y mraich chwith i... damia fo..."

Lwcus fod 'na ddwy nyrs yn y tîm. Roedden nhw'n eitha sicr ei bod hi wedi datgymalu pont ei hysgwydd, ond nid yn rhy ddifrifol. Roedd hi jyst angen help i wisgo a dad-wisgo am sbel.

"Hei, ella 'neith hyn wella 'mywyd rhywiol i..." gwenodd Awel, "mae Arwel angen cic-start ar y gore. Dwi'm yn meddwl 'i fod o'n cofio sut i agor blincin bra rŵan, er roedd o'n arfer ei 'neud o bob blydi munud, a hyd yn oed yn gneud i mi ei amseru o pan oedden ni'n yr *youth club*. Tydi amser yn newid rhywun..."

Roedd 'na sosej, bîns a sglodion yn ein disgwyl ni yn y bar, ond ychydig iawn ohonon ni oedd awydd bwyd. Gan fod ei stumog hi'n gwbl wag, roedd Menna yn stwffio'i hun wrth gwrs. Anelu am y bar wnaeth Beryl.

"Y peint gore ges i rioed," ochneidiodd yn fodlon ei byd ar ôl cegiad anferthol.

Roedd Dafydd yn chwerthin yn y gornel efo Carys, a'r ddau yn edrych yn hapus eu byd. Tybed o'n i ar fai yn amau ôl ei fodiau o? Ond pan sbies i ar Menna, roedd hi'n berffaith amlwg nad o'n i. Allai hi yn ei byw â thynnu ei llygaid oddi arnyn nhw, ac roedd y sosej druan yn amlwg yn rywbeth mwy na sosej iddi yn ôl y ffordd roedd hi'n ei rwygo'n ddarnau efo'i dannedd. Menna druan, mae hi wastad isio dyn sy'n anodd os nad yn amhosib i'w gael. A gan amla', maen nhw'n gocia' ŵyn hefyd. Do'n i'm isio meddwl am Dafydd fel'na; roedd gen i barch mawr ato fo, felly mi benderfynais i gadw'n dawel.

Cyn hir, dechreuodd Samantha roi araith o ddiolch a'n llongyfarch ni ar safon ein chwarae, ac yna enwi eu *"Woman of the Match"* nhw, sef Ms Gwalltgoch. Roedd hi wedi sgorio tair cais wedi'r cwbwl. Dyma fi'n sylweddoli wedyn y byddwn inna yn gorfod gwneud araith – ac enwi ein *"Woman of the Match"* ninna. Damia! Ble oedd Dafydd? Ond dyma fo'n dod o'r bar yn wên i gyd ac amneidio'i ben i gyfeiriad Nia. Wrth gwrs! Ro'n i'n anhygoel o nerfus a jyst â drysu isio mynd i'r lle chwech, ond roedd pawb yn sbio arnaf i yn ddisgwylgar. Hec, do'n i heb siarad yn gyhoeddus yn Saesneg ers dyddiau ysgol, a dim ond darllen Gweddi'r Arglwydd yn y gwasanaeth boreol oedd hynny. Roedd pobol yn dechra aflonyddu.

"Ty'd 'laen Llin!" gwaeddodd Beryl, " Ar dy draed!"

Awê.

"Ym... *thankyou for playing us. You were very good. You've learnt us... I mean teached us – yyy – taught us a lot. We're all plastered with bruises, so it was a bloody hard lesson...*" Ambell chwerthiniad... hei, ro'n i'n dechra ymlacio. *"We'll be back, and we'll give you a hell of a hiding! We've got a 'Woman of the Match' as well, she gave us a hell of a shock today, we didn't know she could shift like that. Hell of a tackle wasn't it? And a hell of a try.* Nia, ty'd yma!"

*"And a hell of a speech!"* gwaeddodd Beryl, "Iesu, pwy ddysgodd Saesneg i chdi, dwa'?!"

Does gan yr hogan yna ddim cydymdeimlad.

Gwobrau merched y *match* oedd dau beint o chwerw, ac mi roedden nhw'n gorfod eu clecio nhw y funud honno. Nia druan, dim ond hanneri fydd hi'n eu hyfed, a wedyn dim ond lager a leim. Roedd y llall wedi gwagio ei gwydr cyn i Nia yfed modfedd.

"Paid â phoeni Nia!" gwaeddodd Menna efo peint yn un llaw a shortyn yn y llall, "stiwdants 'dyn nhw, tydyn nhw'n gneud dim byd ond yfed." Doedd hynny fawr o gysur i Nia druan pan chwydodd ei pherfedd dros y llawr reit o flaen y stiward.

Awr neu ddwy yn ddiweddarach, roedd gyrrwr y bws yn swnian isio cychwyn am adre. Roedd hi'n dipyn o job hel pawb ar y bws, gan ein bod ni i gyd yn cael amser gwych yng nghwmni'r myfyrwyr gwallgo efo'u caneuon ffiaidd a'u jôcs gwaeth. Y cwbwl fedren ni ganu oedd emynau a "Lawr ar lan y môr", oedd yn swnio braidd yn ddiniwed a deud y lleia. Roedd Menna a Beryl wrthi fel fflamia yn trio dysgu geiriau un o'r caneuon gwaetha, a bron nad oedden ni'n gorfod eu cario nhw ar y bws. Roedd y ddwy wedi bod yn yfed fel ffylied, Beryl am ei bod hi wastad fel'na, a Menna am reswm arall.

Ar ôl stopio unwaith i Nia druan chwydu eto a theirgwaith i bawb bi pi y tu ôl i gloddiau ynghanol nunlle, a chwilio am ddail tafol i Tracy oedd wedi eistedd ar ddalon poethion, ac oriau o ganu aflafar, cyrhaeddodd y bws y sgwâr. Diflannodd y rhai dibriod i'r *Ship* dan ganu *"You can tell by the taste that it isn't salmon paste..."* a gadael y gweddill ohonon ni i ymlwybro adre at y gwŷr a'r plant.

"Sut aeth hi?" holodd Wayne yn gysglyd.

"Blydi briliant," medda fi. "Aru ni golli 32-5. Rŵan deffra'r diawl, mae'r holl adrenalin 'na wedi gneud y petha rhyfedda i'n hôrmôns i. Secs! Rŵan!" Mi wnes i ddod bron cyn iddo fo ddeall be oedd yn digwydd, y creadur.

# Pennod 9

ROEDDEN NI'N YSU am gêm arall, ond roedd pawb mor ofnadwy o bell, un ai yn ne Cymru neu yng ngogledd Lloegr, a doedd hi'm yn deg gofyn i bawb dalu am y bws bob tro. Roedd yn rhaid inni hel arian rywsut. Roedd Siân Caerberllan yn byrlymu efo syniadau: raffl, gyrfa chwist, bore coffi, roedd hi hyd yn oed isio i ni chwarae yn erbyn tîm *Pobol y Cwm*, nes iddi ddeall mai tîm pêl-droed sydd ganddyn nhw. Ond ro'n i'n eitha licio'r syniad o daclo Llew Mathews, fy hun.

Roedd y papurau newydd yn ddigon parod i roi sylw i ni ond yn gwrthod cynnig unrhyw fath o nawdd, er eu bod nhw'n fwy na pharod i brynu cit newydd sbon danlli i dimau pêl-droed bechgyn dan ddeg. Yn y diwedd, mi benderfynon ni gynnal bore coffi a ffair sborion yn gynta. Roedd hi'n anodd perswadio pwyllgor y neuadd fod tîm rygbi merched yn achos da, ond gan fod tad Siân yn gynghorydd poblogaidd, gawson ni'r go-hed yn y diwedd.

Roedd y Neuadd yn orlawn a'r ceiniogau yn llifo i mewn i'r coffrau, Awel a Beryl wrth eu boddau yn gwneud paneidia' i'r hen begors, a'r gweddill ohonom ni ar y stondinau. Gwerthu cacennau o'n i. Roedden ni gyd wedi bod wrthi fel ffylied yn gwneud sgons a chacennau cri, a pherswadio'n mamau i wneud petha hefyd. Doedd cynnyrch Menna ddim yn edrych yn rhy flasus, rhyw flapjacs braidd yn dywyll yr olwg – a deud y gwir, roedden nhw'n ddu bitsh, ond roedd hi'n taeru glas yn binc eu bod nhw'n fendigedig.

"Mae pob dim yn blasu'n well pan mae o'n *well-done* siŵr," medda hi.

"Menna, mae'r rheina wedi llosgi," medda Beryl. " 'Sa well i ti eu gwerthu nhw fel petha i gynnau barbeciw os ti'n gofyn i mi... Ti'n ei gorwneud hi ym mhob ffordd 'dwyt? Cacenna', diod feddwol, dynion..." ac i ffwrdd â hi dan chwerthin cyn i Menna gael cyfle i feddwl am ateb.

"Yr hen ast!"

"Na, mae ganddi bwynt," medda fi, "watsia di losgi dy fysedd hefyd..."

Roedd hi'n amlwg o'i hedrychiad hi ei bod hi'n gwybod be oedd gen i, ond ddeudodd hi'm byd.

Daeth Mam draw wedyn. "Pwy bia'r fflapjacs dychrynllyd 'na?"

"Menna."

"Ia m'wn. Tydi ei mam hi fawr o gwc chwaith. Golles i crown pan fynnodd hi 'mod hi'n byta ei thaffi triog hi un Dolig. Dim rhyfedd fod Brian fel llinyn trôns, y creadur. Ydi hi'n canlyn bellach dwa'?"

"Nac'di."

"Bechod. Mae'n hen bryd iddi ffindio gŵr rŵan. Od 'te, achos mae hi'n hogan ddel 'tydi?"

"O, Mam!"

"Ella tasa hi'n dysgu cwcio 'sa hi'n cael gwell hwyl arni. Be am y Nia fach dene 'na, ydi hi'n canlyn 'ta? Mae'n rhaid iddi fod yn ofalus 'sti, os na fydd athrawes plant bach yn briod erbyn ei bod hi'n ddeg ar hugain, mae hi'n garantîd o fod yn hen ferch am weddill ei hoes. Ella tasa hi'n gneud rwbath efo'r gwallt 'na..."

Er 'mod i'n meddwl y byd o Mam, mae hi'n mwydro 'mhen i'n uffernol weithia.

Hwyliodd Anna draw a'i phlant fel hwyaid bychain y tu ôl iddi. Roedd ei gwallt hi i fyny mewn byn a'i mêc-yp hi'n berffaith. Ro'n i'n ymwybodol uffernol o'r ffaith 'mod i angen torri 'ngwallt. Roedden ni wedi siarad ers y ffrae yn y caffi, ond dim ond ryw siarad sbio tros ysgwydd.

"Anna, sut wyt ti ers talwm? T'isio prynu Fictoria Sandwich i de?"

"Na, 'dan ni'n trio torri i lawr ar siwgwr yn ein tŷ ni, diolch i ti. A 'dan ni'n iawn. Sut mae petha efo chi?"

"Grêt. Gawson ni goblyn o hwyl yn ein gêm gynta ni, a hel pres ar gyfer –"

Ond torrodd ar fy nhraws i.

"Meddwl am Wayne a'r plant o'n i, Llinos."

"O. Wel, maen nhw'n iawn. Efo Mam maen nhw, mi fyddan nhw yma toc. Mae Mali yn cael ei phen blwydd 'mhen dipyn, asu, wsnos nesa. Eilir wedi cael mymryn o anwyd. Wayne yn brysur."

"Wyth fydd Mali, ia?"

"Wyth, ia."

"Ti'n cael parti iddi?"

"Parti? Ydw siŵr. O, fysa Heledd a Hanna licio dod?"

Roedd y ddwy yn amlwg yn licio'r syniad yn arw, nhw sydd agosaf at oed Mali ac yn dipyn o ffrindia, fel ro'n i ac Anna yn eu hoed nhw.

"Iawn, grêt. Ffonia i di i ddeud faint o'r gloch ac ati ia?"

"Iawn. 'Dach chi'n edrych ymlaen, tydach genod? Ti'n edrych yn dda, gyda llaw."

"Be? Tew ti'n feddwl?"

"Naci siŵr, ti 'di colli pwysa yndo? Na, ti wir yn edrych yn grêt. Hwyl i ti."

"Ia, hwyl, diolch." Wel, wel, wel... compliment gan Anna. Ro'n i 'di cael tipyn o sioc. A damia, ro'n i wedi anghofio bob dim am drefnu parti i Mali. A damia, damia, damia, dydd Sul oedd o, a ninna efo gêm yn Aberystwyth. *Hell's bells*. Be rŵan?

Daeth Mam draw eto.

"Tydi Anna yn edrych yn smart bob amser dwa'? Gwbod sut i edrych ar ôl ei hun. A'r plant 'na, wastad fel pin mewn papur ganddi. Ac mae Dylan yn gneud mor dda tydi, a char newydd lyfli gynnon nhw. Dyn neis, bob amser yn boleit. Tydi hi ddim yn chwarae rygbi nac'di, digon o sens ganddi hi, 'toes ?"

Wnes i ddim trafferthu i'w hateb hi.

* * *

Roedd 'na lwyth o wynebau newydd yn yr ymarfer nesa. Pwy fysa'n meddwl bod ffair sborion yn lle mor dda i ricriwtio chwaraewyr rygbi? Ond roedd 'na un hogan yn sefyll allan, sef Heather Prydderch, y doctor newydd. Awel oedd wedi mynd ati ynglyn â phont ei hysgwydd ac ar ôl egluro mai rygbi oedd yn gyfrifol, mi ddeudodd Heather ei bod hi wedi bod yn fflancar i dîm myfyrwyr Caerdydd ar un adeg. O'r funud y daliodd hi'r bêl, roedd hi'n amlwg ei bod hi wedi hen arfer chwarae. Roedd hi'n ffit hefyd. Tydi pob doctor? Mi roddodd homar o dacl i Menna druan nes ei bod hi'n gweld y bliws, a doedd Menna ddim yn gweld y peth yn ddigri o gwbwl.

"Blydi hel! 'Sa hi 'di gallu mrifo fi, a 'mond ymarfer ydan ni. Jyst isio dangos ei hun."

"Ti 'mond yn jelys am ei bod hi'n hwntw ac yn dallt Dafydd yn well na chdi..." heriodd Beryl.

"Ffyc off."

Sbiodd Beryl a minna ar ein gilydd.

"Beryg dy fod ti 'di taro'r hoelen ar ei phen Ber!"

"Beryg 'mod i."

Roedd pawb ond Menna wedi cymryd yn arw at Heather. Roedd hi'n hen hogan iawn, ac er ei bod hi'n ddoctor, roedd hi'n siarad ac ymddwyn yn union fel un ohonon ni. Roedd hi'n yfed *Guinness* ac yn deud jôcs budron a hyd yn oed yn cael ambell i ffag.

"Ond pidwch a gweud wrtho pawb! Wi jyst moyn un 'da 'mheint weithe. Sa i byth yn smoco yn ystod y dydd."

Roedd hitha'n hogan sengl hefyd. "Wi'n fenyw wedi ei chreu ar gyfer dyn," medda hi, "ond wi eriod wedi cyfarfod dyn o'dd yn gallu cystadlu!"

Roedd pawb ond Menna yn chwerthin.

"Hy," chwyrnodd hi, "Bette Davis ddeudodd hynna."

Ond os oedd hi'n dwyn dyfyniadau pobol eraill, roedd hi'n uffar o chwaraewraig ac mi gafodd le fel fflancar ar gyfer y Sul nesa heb broblem yn y byd. Doedd Fflur yn poeni dim, roedd hi'n fodlon iawn efo'r fainc. Fi oedd y broblem. Doedd Dafydd ddim yn deall.

"Ond pam na allet ti gael y parti y diwrnod cyn 'ny? Neu y diwrnod wedi 'ny?"

"Fedra i ddim. Diwrnod pen blwydd ydi diwrnod pen blwydd i hogan fach wyth oed, tria ddallt."

"Ond ti yw'r capten, a ti'n ran allweddol o'r *penalty move* newydd 'na. Allen ni byth 'ware hebddot ti, Llinos."

"Sgen i'm dewis, nagoes. Mae'r plant yn gorfod dod gynta. Pan gei di dy blant dy hun mi fyddi di'n dallt."

"Wi'n nabod digon o waraewyr rygbi sy'n ddynon, a sa i erio'd wedi clywed am neb yn colli gêm oherwydd blydi parti pen blwydd."

"Wel, mae'n wahanol i fam, tydi?"

Allai Heather ddim peidio clywed y sgwrs.

"Ond pam ddyle fe fod yn wahanol i'r fam? Wi'n credu'n gryf taw gwaith tîm yw cynnal teulu. Nagyw'r tad yn gallu cynnal parti? Allet ti baratoi popeth ymla'n llaw, a'r cwbwl sy'n rhaid iddo fe wneud yw cadw trefen, a thywallt ambell i wydraid plastig o oren."

"Yn gwmws," cytunodd Dafydd.

"Asu, sgynnoch chi'm syniad nagoes? Tydi o'm mor hawdd a hynna. A tydi o'm y peth i 'neud nac'di?"

"Fydde pawb yn credu taw mam wael fyddet ti... 'na beth yw'r broblem ondefe?" Doedd Heather ddim yn ddwl, ond mae'n ddigon hawdd i rywun fel hi bregethu.

Roedd Beryl wedi bod yn gwrando.

"Pam na ddoi di â nhw efo chdi? Trît pen blwydd."

"Briliant Beryl!" chwarddodd Dafydd, "ac fe gawn ni deisen iddi, a chanu – a gaiff hi fod yn fascot!"

"Ond be am y plant eraill?"

"Parti arall iddyn nhw ar y pnawn Sadwrn ynde?" medda Beryl. "Geith hi barti deuddydd wedyn yn ceith?"

Do'n i'm yn meddwl y bysa Mali yn rhy hoff o'r syniad o dreulio oriau mewn bws ac wedyn fferu ar gae yng nghanolbarth Cymru, ond wnes i gytuno i ofyn iddi.

"YES! O diolch, Mam!"

Ro'n i'n fud. Ond roedd hi'n neidio o gwmpas y lle fel het.

"Ti'n siŵr rŵan, Mali? Mi fydd hi'n oer 'sti."

"Dim bwys. Ga i wisgo siorts a crys rygbi fel chi pan dwi'n fascot? Ga i? Plîs Mam?"

"Wel... ia, iawn. Ocê. Os t'isio."

"Geith pawb arall ddod hefyd?"

"Be? Criw y parti ti'n feddwl?"

"Ia siŵr. Gawn ni fod yn *cheerleaders* i chi!"

Do'n i'm yn gweld Anna a Dylan yn cytuno efo'r syniad yna rywsut, ac es i'n chwys oer drosta i pan feddyliais i am lwyth o genod bach wyth oed yn clywed caneuon genod rygbi a'u canu nhw ar fuarth yr ysgol, a holi'r Prifathro pwy oedd y *'Little Dicks'* 'ma, a be oedd *"time of the month"* yn ei feddwl.

Gawson ni'r parti ar y dydd Sadwrn, ac ar y bore Sul, aeth y tîm i lawr yn y bws, a minna'n dilyn yn y car efo Mali ac Eilir. Roedd 'na gryn dipyn o'r genod wedi cael gormod i yfed nos Sadwrn, er gwaetha cynghorion Dafydd, ac mi stopiodd y bws deirgwaith i bobol gael chwydu eu perfedd i gloddiau'r A470. Roedd Eilir yn ffasinêted.

"Be maen nhw'n 'neud, Mam?"

"Methu teithio mewn bws heb fod yn sal 'sti."

"Ond maen nhw'n ddynesod mawr."

"Ydyn."

"Cael cabej i swper 'naethon nhw, ia?" (Mi dowlodd i fyny dros ei byjamas y tro diwetha i mi 'neud cabej iddyn nhw.)

"Mi fydd 'na lot o gabejus yn tyfu ar y ffordd yma flwyddyn nesa yn bydd?" gwichiodd Mali.

O'r diwedd, roedden ni yn Aberytswyth. Roedd hi'n bwrw glaw ond doedd hi'm yn rhy oer. Gofalodd Dafydd am y ddau fach tra oedden ni'n newid. Doedd 'na'm angen dychryn Eilir cyn ei amser, nagoedd? Roedd Menna yn ymbincio yn y drych eto.

"Stiwdants ydi'r rhain hefyd, ia?" holodd tra'n rhoi gel yn ei gwallt i gael sbeics perffaith.

"Naci, genod y dre."

"Genod go iawn 'lly?" holodd Beryl. "Mi fyddan nhw'n

galetach felly, yn byddan?"

Roedd hi'n iawn. Pan ges i 'nhaclo o fewn eiliadau i'r chwiban gynta, 'swn i'n taeru bod 'na daflegryn *cruise* newydd fy nharo i. Do'n i'm jyst yn gweld sêr, roedd 'na adar yn chwyrlio o gwmpas 'y mhen i hefyd. Rhedodd Dafydd ataf i a dal bysedd o flaen 'y nhrwyn i i weld os o'n i'n gweld dwbwl. Ond ro'n i'n iawn. Erbyn i mi godi ar fy nhraed roedden nhw wedi cael cais, a'n tîm ni i gyd ar eu hyd yn y mwd.

"Asiffeta!" ochneidiodd Beryl gan rwbio ei hysgwydd. "Caled ddeudes i? Mae'r rhein fatha rwbath allan o *Prisoner Cell Block H*. Roedd taclo honna fatha hed-bytio wal goncrit."

Tri chais, un trosiad ac un cic gosb yn ddiweddarach roedden ni'n dechrau gwylltio efo'n gilydd. Menna yn beio Carys am fethu dal, Carys yn beio Menna am basio'n gachu a phawb yn beio pawb am fethu taclo. Fel roedd un o Amasoniaid Aberystwyth yn cael triniaeth i anaf, ges i gyfle i hel y tîm at ei gilydd.

"Ylwch, 'dan ni gyd yn cega ar ein gilydd ac yn mynd i nunlle. Os gariwn ni 'mlaen fel hyn, eith hi'n draed moch go iawn. Triwch droi y gwylltineb 'na yn eu herbyn nhw!"

"Be? Ti isio i mi ffustio un ohonyn nhw yn lle Carys, er mai hi sy'n ei haeddu fo?" medda Menna drwy'i dannedd.

"Iesu gwyn, Menna! Gwranda arna i 'nei? Arnyn nhw ma' isio ymosod, nid dy dîm dy hun."

"Ia," medda Carys, "felly gwna dy ffwcin job yn iawn."

Tasa Beryl heb afael ynddi dwi bron yn siŵr y bysa Menna wedi mynd am wddw Carys. Welais i rioed neb efo cymaint o dymer. Mi falodd sbectol ei hathrawes pan oedd hi'n yr ysgol gynradd efo'i dwrn – tra oedd y ddynes yn gwisgo'r sbectol.

"Calliwch!" gwaeddodd Beryl. "Maen nhw'n chwerthin am ein penna ni fan'cw." Roedd hi yn llygad ei lle. Roedd genod Aber yn cael modd i fyw yn gwylio'n domestics bach pathetic ni.

Stwffiodd Carys ei hwyneb i mewn i drwyn Menna: " 'Swn i wrth 'y modd yn rhoi slap i chdi rŵan hyn Menna Pritchard, ti'n blydi haeddu un, ond dwi'n mynd i gogio mai chdi ydi pob un wan jac ohonyn nhw yli, a no blydi wê fydd 'na'r un ohonyn nhw yn sgorio eto. Dallt?"

Roedd y dyfarnwr yn barod am sgrym ac yn dechra mynd yn flin.

"Ocê genod," medda fi. "Dangoswch i'r hwntws 'ma sut mae chware rygbi."

Roedd llygaid Menna fel darnau o lo, a'r rheiny ar dân. Eu *put in* nhw oedd o, ac mi fachon nhw'n gelfydd fel arfer, ond pan aeth eu bachwr nhw am y bêl wedyn, mi symudodd Menna fel cath efo rocet yn ei thîn a'i llorio hi efo sgrech cyn iddi gael cyfle i daflu. Roedd Heather wrth ei sodlau hi, ac mi gododd y bêl a rhedeg degllath cyn i neb fedru ei chyffwrdd hi. Roedden ni yn eu hanner nhw am y tro cynta. Ar ôl ryc fysa wedi dychryn yr All Blacks, daeth y bêl yn ôl i Menna. Mi gafodd Carys bàs berffaith. Roedd Heather ar ei hysgwydd hi a llwyddodd i gipio'r bêl jest cyn i Carys gael ei thaclo. Doedd Aberystwyth ddim yn gwybod be oedd wedi'u hitio nhw. Aeth y bêl allan i Nia oedd yn gwibio i fyny'r asgell rîal boi nes i'w cefnwr nhw ei stopio hi efo homar o dacl ddegllath o'r llinell. Ond roedd Menna y tu ôl iddi fatha teriar bach. Doedd 'na neb yn mynd i'w stopio hi, roedd hi'n flin ac yn beryg. Mi lithrodd fel arian byw drwy'u hamddiffyn nhw a sgorio ei chais gynta rioed efo bloedd gyntefig yn union fel rywbeth allan o ffilm *Kung-fu*.

Roedd Dafydd yn bloeddio fel tasa fo'm hanner call, a Mali ac Eilir yn sgrechian nerth eu pennau:

"IEEEEEEI! An-ti Me-nna! An-ti Me-nna!"

Roedd Beryl a Tracy yn cofleidio Menna fatha tasan nhw'n ei charu hi yn fwy na dim yn y byd, a honno'n gwenu fel giât.

" 'Newch chi plîs roi'r gora i drio fy snogio i? 'Sa well gen i gael slap."

Aeth chwiban hanner amser. Rhedodd Dafydd ar y cae a chodi Menna yn yr awyr nes oedd hi'n gwichian.

"Menna! Ti'n blydi gwych! Welais i rio'd y fath 'ware ymosodol yn fy myw! Briliant, hollol briliant!" Ac wrth ei gosod yn ôl ar y ddaear, mi blannodd sws fawr iddi ar ei cheg. O diar. Trodd pawb i sbio ar Carys. Gesiwch pwy oedd a llygaid fatha dau lwmp o lo rŵan.

Roedd Mali ac Eilir wedi rhedeg ymlaen efo Siân a'r orenj sgwosh. Roedden nhw wrth eu boddau diolch byth ac yn esgus i dynnu sylw pawb oddi ar Y Gusan. Roedd Dafydd wedi dod at ei goed erbyn hyn ac yn prysur longyfarch pawb am y symudiad ola 'na. Ond roedd o'n gwybod yn iawn ei fod o wedi'i gwneud hi. Tydi Carys byth yn dawel, ond roedd ei thawelwch hi yn fyddarol rŵan. Mae 'na rai pobol fel Menna, sy'n gwylltio'n gacwn yn syth bin ac yna'n anghofio amdano fo, mae 'na rai eraill sy'n cadw pob dim i mewn ac yn ei storio fo.

Roedd yr ail hanner yn arafach. Roedd hi wedi dechra bwrw glaw unwaith eto, felly roedd y bêl fatha darn o sebon a'r mwd dan draed yn union fel trio rhedeg trwy gae o *Copydex*. Ni'r blaenwyr oedd yn gwneud pob dim, gan nad oedden ni na nhw yn llwyddo i gael y bêl allan i'r cefnwyr druan oedd yn fferu yn ddisgwylgar. Bob tro ro'n i'n taclo neu'n cael fy nhaclo, ro'n i'n cael tunelli o'r stwff i fyny 'nhrwyn neu mewn i 'ngheg, ac yn cael trafferth anhygoel i godi o'r llawr.

Roedd ganddon ni hogan fach newydd ar yr asgell, Claire Louise merch y bwtsiar, ac mae hi braidd yn fyr ei golwg, felly pan gicion nhw bêl uchel i'w chyfeiriad hi, roedden ni gyd yn cachu plancia. Ond chwarae teg, mi sgrechiodd *"Mine!"* er nad oedd 'na neb arall o fewn ugain llath iddi. Yn anffodus, roedd yr haul yn ei llygaid hi ac er ei bod hi'n union o dan y bêl, doedd hi'n amlwg yn gweld dim, ac mi laniodd y bêl ar ei thrwyn hi a'i tharo'n ôl ar ei chefn i ganol talp mawr o fwd. Wedyn doedd hi jyst ddim yn gallu codi; roedd y mwd yn ei dal hi i lawr fel tasa hi wedi cael ei chroeshoelio i'r llawr a phawb yn chwerthin nes oedden nhw'n wannach fyth.

Dim ond un cais arall gawson nhw yn yr ail hanner, yn bennaf oherwydd ein taclo diflino ni, yn enwedig Heather. Roedd hi'n chwarae yn wirioneddol ffantastic. Felly pan aeth y chwiban ola', doedd y sgôr ddim yn rhy ddrwg: 30-5. Aethon ni'n ôl am y stafell newid yn eitha bodlon ein byd. Roedd Mali ac Eilir yn meddwl fod yr olwg oedd arnon ni yn destun chwerthin mawr wrth gwrs. Roedd Siân Caerberllan wedi dod â chamera efo hi, felly ar ôl pum munud o bôsio gwirion, gawson ni lonydd i fynd am gawod. Ond roedd Beryl a Menna wedi sylwi ar bwll mawr o ddŵr nid nepell o'r clwb. Felly mi fuon nhw'n chware Dambusters am dipyn, yn rhedeg am y pwll a sglefrio i mewn iddo fo wysg eu penna', eu tina', bob dim, ac yn sgrechian a chwerthin fatha ffylied. Dangos ei hun o flaen Dafydd oedd Menna. Jyst bod yn Beryl oedd Beryl.

"Ty'd 'laen Llin!" gwaeddodd Beryl. "Paid â bod mor blydi *boring*. Dangosa i dy blant be ti'n gallu'i 'neud!"

Wnes i 'mond oedi eiliad. Roedd o'n edrych fatha coblyn o hwyl, a fedrwn i'm bod yn futrach nac o'n i'n barod, felly i mewn â fi. Mae 'na rwbath am chwarae mewn mwd yndoes? Rwbath cyntefig, budur, gwlyb. Do'n i'm isio dod oddi yno. Cyn pen dim, roedd hanner y tîm yn sglefrio efo ni.

Ar ôl chydig, doedd Eilir bach methu dal ei hun yn ôl, a chyn i neb gael cyfle i'w stopio fo, roedd ynta ar ei ben yn y mwd, nes roedd ei gôt newydd o, y jympar gafodd o gan Nain a'i wallt del o yn 'sglyfaethus. Mi gododd ar ei draed yn chwerthin nes iddo fo golli'i falans a disgyn yn ôl ar ei din. Roedd pob modfedd ohono fo yn fwd, yr unig ddarn ohono fo oedd ddim yn frown oedd ei lygaid o. Do'n i'm yn siŵr os o'n i isio chwerthin 'ta chrio. A doedd gen i ddim hawl rhoi llond ceg iddo fo, gan mai dilyn esiampl ei fam wnaeth o wedi'r cwbwl. Roedd pawb yn meddwl fod y peth yn hynod ddigri wrth gwrs, ond gen i oedd y broblem o drio mynd a fo adre heb iddo fo gael niwmonia a heb gael mwd dros yr *upholstery*. Mi fysa Wayne yn mynd yn benwan. Roedd y mymryn bach lleia o *Milky Bar Buttons* wedi toddi ar y gadair ôl yn mynd ar ei nerfau o, heb sôn am dunnell o fwd.

Mi lusges i'r creadur bach i mewn i'r gawod efo fi heb drafferthu i dynnu ei ddillad. Aeth y genod yn swil reit er mai dim ond pump ydi o. Ond mi roedd ei lygaid o fel soseri erbyn gweld. Ro'n i'n gobeithio na fysa hyn yn effeithio gormod arno fo, ond fel roedd y mwd yn diferu i mewn i'w lygaid o, mi ddechreuodd grio, diolch byth, felly doedd o'n gweld fawr ddim wedyn.

"Sgen ti rwbath glân iddo fo newid?" holodd Gwenan, tra'n tywallt talc dros fodiau ei thraed.

"Dim byd ond pâr o sana."

"Ma' gen i grys-T sbâr os ydi o rywfaint o help?" cynigiodd Manon.

"Ac mae gen i *cycling shorts,*" medda Claire Louise.

Toc wedyn, roedd o'n gwenu fel giât mewn môr o dalc a dillad mwdlyd, yn edrych yn bictiwr mewn crys-T 'Hollol Bananas' at ei fferau, *cycling shorts* du fatha teits Nora Batty a sanau coch oedd yn gwneud iddo fo edrych fatha coblyn.

"Eilir, ti'n boen," medda fi, a rhoi sws fawr ar ei dalcen o.

Gawson ni blatiaid o sglodion a sôs coch yr un, ac wedyn mi ddaeth Siân i mewn efo cacen pen blwydd i Mali. A chwarae teg i genod Aber, mi ganon nhwtha 'Pen Blwydd Hapus' iddi hefyd. Wedyn aethon nhw 'mlaen i ganu rwbath hollol wahanol. Roedd hi'n amser gadael. Cyn i mi ddiflannu drwy'r drws, daeth Dafydd ataf i:

"Llinos, ar ôl perfformiad heddi, wi'n credu eich bod chi'n barod i gael gêm gartref. Wela i di ddydd Llun." Ges i sws ar fy moch ac i ffwrdd â fo at Carys oedd yn edrych fel tasa ganddi lot fawr i'w ddeud wrtho fo. Ro'n i fel tomato, ond doedd 'na neb o gwmpas i sylwi, diolch byth.

Dwi'n cochi mor hawdd, mi fedra i gochi jyst wrth gofio am achlysur pan 'nes i gochi. Mae o'n blydi poen weithia, yn gwneud i rwbath bach digon diniwed gael ei chwyddo y tu hwnt i bob rheswm.

Roedd y ddau fach yn fy nisgwyl i wrth y car.

"Reit, dowch 'laen. Mewn â chi."

"Mam?" holodd Eilir fel ro'n i'n ei strapio fo i mewn i'w sêt, "pam 'naeth Dafydd roi sws i ti?"

"Oeddach chi'n sopi!" giglodd Mali, "Fatha dau gariad!"

"Mam! Ti fel tomato!" canodd y ddeuawd.

O cachu hwch!

# Pennod 10

GES I BANED efo Beryl a Gwenan yn y caffi amser cinio dydd Llun. Roedd 'na olwg uffernol ar y ddwy, ac mi roedden nhw'n yfed paneidia o goffi fesul galwyn.

"Wel?" medda fi. "Be gollais i?"

"Llin," medda Gwenan, "honna oedd noson mwya gwallgo, mwya blydi boncyrs 'y mywyd i, wir i chdi."

"Bythgofiadwy, taswn i'n gallu cofio'i hanner hi," ochneidiodd Beryl gan ddal ei phen yn ei dwylo. "O'n i dal yn chwil bore 'ma mae'n rhaid, achos 'nes i dywallt sudd oren i mewn i 'nghoffi i, a rois i'r tôst yn y ffrij. Rŵan mae'r hangofyr yn 'y nharo i."

"Be ddigwyddodd 'ta?" Ro'n i ar bigau'r drain.

"Wel, mi benderfynodd rhywun ein bod ni gyd yn gorfod yfed peintia o *Snakebite* i ddechra cychwyn, wedyn oedden ni'n gorfod chware ryw gêm wirion 'Ibl dibyl dobyl' neu rwbath," eglurodd Beryl.

"Ac mi gafodd Siân Caerberllan bymtheg ibl dobyl!" chwarddodd Gwenan.

"Howld on, be uffar ydi ibl dobyls?"

"Mae'r cadeirydd yn baeddu'i bysedd efo rwbath – ashtrê neu y stwff glas 'na ti'n ei roi ar giw pŵl, ocê?" eglurodd Beryl yn bwyllog. "Wedyn os ti'n gneud camgymeriad efo faint o ibl dibyls ac ibl dobyls sy gen ti, mae hi'n rhoi mwy i chdi, a ti'n gorfod yfed dau neu dri bys o *Snakebite* sy'n cowlio mwy fyth ar dy ibl dobyls di, ac mae pawb yn chwerthin am ben ei gilydd ac yn y diwedd mae rhywun fatha Siân Caerberllan efo cymaint o sbotia arni, mae o'n blydi hilêriys, a ti'n chwerthin gymaint am ei phen hi, ti'n anghofio faint sgen ti. Dallt?"

"Clir fel mwd."

"O, eniwê," medda Gwenan, "mi ddaeth rhai o dîm y dynion i mewn wedyn, pishyns bach 'fyd, ac mi fynnodd genod Aber ein bod ni'n gneud gêm y crisps efo nhw. A fi ennillodd!"

"Crisps?"

"Ia, ond gesia lle oedd –"

"Paid â deud wrthi Gwenan!" gwenodd Beryl, "geith hi ei 'neud o ar ôl y gêm nesa."

"Ti'n meddwl?" gwenais inna'n ôl arni.

"Mi fyddi di wrth dy fodd Llinos Parri... Trystia fi..." Roedd na olwg drwg yn ei llygaid hi, ond roedd y ddwy yn gwrthod deud dim mwy am y peth.

"Ga i wbod be ddigwyddodd ar ôl y blydi crisps 'ma 'ta? Be am Carys? Oedd hi'n flin efo Dafydd?"

"Ar ôl iddi snogio un o hogia Aber o flaen pawb, fo oedd yn flin efo hi."

Bron i mi dagu ar fy nghoffi.

"Wedyn 'nes i ddal Menna efo fo yn y bog," roedd Gwenan yn giglan gymaint, roedd hi'n cael trafferth cael y geiriau allan. "O'n i'n clywed ryw sŵn tuchan od yn dod o'r ciwbicyl drws nesa, ti'n gweld, felly mi ddringais i ar ben y *cistern* i sbecian, a myn diawl i, dyna lle'r oedd y ddau wrthi cofia!"

"Dos o 'ma!" Roedden ni'n tair yn g'lana' erbyn hyn.

"Ar fy marw. Am siâp, roedd o ar y pan, a hitha yn mynd fatha cwningan ar ei ben o! Roedden nhw mor brysur, welson nhw mohona i, hyd yn oed pan ges i'r gigyls mwya' diawledig. Jyst i mi ddisgyn 'sti."

"Be? 'Dyn nhw'm yn gwbod dy fod ti wedi'u gweld nhw 'lly?"

"Nac'dyn. Wedyn roedd o'n ista efo Carys ar y ffordd adra yn y bws. Diawl o foi ydi o ynde?"

"Ti'n deud 'tha fi. Iesu, Gwenan, titha'm yn gall chwaith!"

"Wel? Betia i sofran 'sa chditha wedi gneud yr un peth yn union."

"Be? Ar ôl clywed sŵn tuchan yn dod o giwbicyl lle chwech? Be os ma' rhywun rhwym oedd yno, 'nes ti feddwl am hynny?!"

"Shit, naddo. W!"

Do'n i'm yn siŵr os o'n i'n falch 'mod i wedi colli y fath sglyfaethwch. Roedd o'n swnio'n gymaint o hwyl, ond eto...

Fedrwn i'm peidio gwenu ar Dafydd pan gyrhaeddodd o'r clwb y noson honno.

"Shwmai Llinos? Ti'n edrych yn hapus iawn, beth sy?"

"Dim byd. Y... jyst meddwl, oeddat ti o ddifri pan ddeudist ti dy fod ti isio i ni gael gêm gartre?

"Wên. Mae'n bryd i bawb gael gweld shwd chi'n 'ware, a falle y daw mwy o ferched y fro draw i roi cynnig arni eu hunain wedyn, so ti'n credu?"

"Iawn, grêt!"

Roedd Awel wedi clywed ein sgwrs ni.

"Sgiwsiwch fi'n gofyn ynde, ond yn erbyn pwy 'dan ni'n mynd i chware?"

"Sa i'n gwybod 'to, ond neb rhy wych, paid â phoeni. Smo ni moyn cael ein hamro ar ein ymddangosiad cynta gartre y'n ni?" Roedd o mewn ufflon o hwyliau da. Dim rhyfedd ac ynta'n cael *sex life* mor brysur. " 'Sda ti syniad pwy fydde'n addas Llinos?"

"Asu, 'dwn 'im... ym... be am Aberystwyth eto?"

"Na, sa i'n credu. Rhywun llai bywiog efalle? Sa i'n credu y bydde'r clwb yn blês iawn â'u math nhw o *apres-match* rywfodd, nid y tro cynta 'ta p'un 'ny."

"Ia, ti'n iawn, glywes i fod 'na betha mawr wedi mynd 'mlaen 'na." Ro'n i'n gwenu fel ffŵl eto, fedrwn i'm helpu fy hun. Mi wenodd ynta'n ôl arnaf i, fel tasa fo'r archangel Gabriel ei hun.

"Fe gollest ti yffach o noson on'dofe? Sa i wedi cael y fath sbort ers ache."

"Naddo glei," medda Beryl mewn llais uchel y tu ôl iddo fo. Jyst iawn i mi'i cholli hi, ond chymrodd o ddim sylw ohoni.

"Beth am un o glybiau gogledd Lloegr?"

"A be sy'n gneud i chdi feddwl y byddan nhw'n fwy diniwed na genod Aber?" holodd Tracy.

"Yn hollol! Beryg fod Saeson yn waeth!" medda Beryl. "Ond mi wna i chydig o ymholiadau yli."

" 'Na fe, beth am yr wythnos ar ôl nesaf?"

"Mi wna i 'ngore."

" 'Na fe 'ten. Nawrte, digon o siarad," medda fo gan ddechra loncian am y cae, "mas â ni am damed bach o action..."

"Iesu, gath o'm digon neithiwr dwa'?" medda Beryl. Ac mi colles i hi'n llwyr.

Cyrhaeddodd Menna yn hwyr, efo shêd newydd o lipstic ac uffar o wên.

"Sori Daf, trafferth yn gwaith. 'Mi wna i fyny amdano fo yli."

"O gneith, and haw..." chwyrnodd Beryl wrth iddi loncian wrth fy ochor i. "Os ddaw o i'r fflat heno, mi lladda i hi. Mae'r wal rhwng ei llofft hi a fi fatha papur tŷ bach."

"Ti'n clywed bob dim 'lly?"

"Tŵ blydi reit, mae hi fatha'r caffi yn *When Harry met Sally* acw rownd y rîl. Duw â wyr be maen nhw'n ei 'neud, ond mae o'n swnio'n uffernol o acrobatig."

Es i reit dawel wedyn. Doedd Wayne a minna heb wneud dim ond yr un hen rwtîn ers oes. A bod yn berffaith onest, roedd ein bywyd rhywiol ni wedi mynd braidd yn undonog. Doedd o byth isio gwneud rhywbeth gwahanol, ac er bod ei batrwm arferol o'n ddigon effeithiol, roedd o wastad yn mynnu rhowlio drosodd a chwympo i gysgu yn syth wedyn, a 'ngadael i ar y darn gwlyb yn teimlo fod 'na rywbeth yn bendant ar goll. A bod yn berffaith onest, ro'n i'n mwynhau fy hun yn well os o'n i'n cogio mai Dafydd oedd o.

Cafodd Beryl afael ar dîm o ochrau Lerpwl oedd yn cael tymor caled yn ôl y sôn, ac mi roedden nhw'n barod iawn i ddod draw. Felly mi fuon ni'n ymarfer fwy nac erioed. Roedd Dafydd wedi penderfynu fy rhoi i yn rif wyth y tro yma. Grêt, ro'n i'n dechra cael llond bol ar gael fy ngwasgu o bob cyfeiriad, ac mae'r wythwr yn gallu rhoi cymaint mwy o'i stamp ar y gêm. Roedd Jac yn fodlon iawn i ni gynnal y gêm acw ac wrthi fel fflamia yn paratoi bob dim. Roedd o wedi dod yn fêts mawr efo Dafydd ac yn ein cefnogi ni gant y cant. Doedd Dora byth yn sbio arnaf i ers i mi fod yn "ddigywilydd" efo hi wrth gwrs, yr hen jadan.

Roedd Beryl wedi paratoi posteri er mwyn sicrhau torf fawr o gefnogwyr a hyd yn oed wedi cael paragraff bach yn y papur ac addewid y byddai dyn tynnu lluniau yn galw draw. Roedd 'na ddiddordeb mawr gan bobol o'r diwedd, ac er bod 'na griw ohonyn nhw'n amlwg ddim ond am ddod i wneud hwyl am ein pennau ni, roedden ni'n benderfynol o wneud iddyn nhw lyncu'u geirie a sylweddoli ein bod ni'n gallu chwarae yn eitha da wedi'r cwbwl, diolch yn fawr.

"Ti am ddod i'n gweld ni 'dwyt?" medda fi wrth Wayne wrth hwylio swper.

"Sgen i ddewis?" medda fo.

"Wel, 'sna'm rhaid i ti ddod os na t'isio..."

"Wyt ti isio i mi ddod?" Roedd o'n sbio i fyw fy llygaid i efo'r llygaid mawr brown 'na. Fedrwn i ddim cofio pryd oedd y tro diwetha iddo fo sbio arnaf i fel'na.

"Wrth gwrs 'mod i! 'Swn i wrth 'y modd tasat ti yna. Mi fyddi di'n 'y ngneud i'n nyrfys, byddi, ond dwi dal isio i ti ddod, i ti gael gweld pa mor dda ydan ni, lle bo' ti'n cymryd y *piss* o hyd."

"Pam ddylwn i dy 'neud di'n nyrfys?"

" 'Dwn i'm. Ddim isio gneud smonach o betha o dy flaen di am wn i."

"Dim rheswm arall?" Roedd 'na olwg od yn ei lygaid o.

"Na. Ofn i chdi weiddi petha ffiaidd arna i o flaen pawb ella?"

"Fel be?"

"Wel, tynnu sylw at 'y mloneg i neu seis 'y nhin i neu rwbath, ti'n gwbod."

"Fyswn i'm yn gneud hynny siŵr, be ti'n feddwl ydw i? Dwi'n digwydd meddwl fod dy din di yn berffaith."

"Paid â malu." Ro'n i wedi mynd yn binc.

"Ofn i bobol eraill weld pa mor lyfli ydi o dwi."

"O, dos o 'ma."

"Wir i chdi. Ti'n hogan uffernol o secsi 'sti, Ti'n dal i 'nhroi i 'mlaen, hyd yn oed ar ôl saith mlynedd o fod yn briod." Cododd o'i gadair a dechra tynnu ei fysedd yn araf ar hyd fy nghluniau i. Doedd o prin yn cyffwrdd, ond yr argol, roedd o'n deimlad braf. Roedd y plant yn gwylio cartŵns yn y parlwr. Dechreuodd anwesu fy mronnau i drwy fy nghrys i nes ro'n i'n dechra colli 'ngwynt. Roedd o'n sibrwd petha budur yn fy nghlust i.

Agorodd fotymau fy nghrys i'n araf a chodi ei lygaid i sbio ar fy ngwefusau i. Roedd fy mra i ar agor ac mi roedd o'n gwneud y petha rhyfedda i mi. Ro'n i jyst â drysu isio'i gusanu o, ond dal i sbio ar fy ngwefusau i oedd o, yn cadw ei bellter ac yn canolbwyntio ar fy nipls i. Roedd fy nghoesau i'n mynd yn wan, ro'n i isio fo mor ofnadwy; cododd ei lygaid i sbio arnaf i. Roedden nhw'n dywyll, dywyll. Aeth y cryndod rhyfedda drwyddaf i. Daeth ei wefusau yn nes yn araf, araf, ac yna roedden ni'n cusanu yn wyllt, yn cusanu fel tasan ni'n ddibriod unwaith eto, yn awchu am gyrff ein gilydd a phob dim ar wahân i ni ein dau yn angof. Ro'n i'n agor zip ei jîns o ac ynta'n agor f'un i pan ganodd cloch y drws.

"Damia!" gwingodd Wayne. "Pwy ddiawl sy 'na rŵan?"

Roedd Mali wedi rhedeg i ateb y drws bron cyn i Wayne gau ei falog, tra o'n i wedi neidio i wynebu'r sinc ac yn trio cau botymau fy nghrys fel ffŵl ond yn methu'n rhacs. Jyst i mi rwygo botwm pan glywais i lais dwfn Dafydd yn derbyn gwahoddiad Mali i ddod mewn.

Rhedodd Mali i mewn: "Mam! Mae Dafydd yma!"

Dilynodd hi i mewn yn lletchwith. Gwenodd ar Wayne ac yna arnaf i.

"Shwmai."

Tybed oedd o'n gallu deud be oedden ni newydd fod yn ei 'neud? Roedd 'na olwg wyllt ar Wayne ac mi ro'n inna yn fflamgoch, a damia, mae'n siŵr fod 'na rash dros fy ngwddw i. Dwi wastad yn cael rash coch ar fy mrest pan dwi 'di cynhyrfu neu'n embarasd neu'n nerfus. Ro'n i'n dipyn o'r tri rŵan.

"Haia. Stedda lawr. T'isio paned? O'n i jyst yn mynd i 'neud un. Coffi? Te? Llaeth a siwgwr ?" Ro'n i'n baglu dros fy ngeirie, roedden nhw'n peltio allan mor gyflym.

"Wel, ie, man a man. Coffi os gweli di'n dda, a llâth dim siwgir, diolch." Trodd at Wayne. "Wayne, yfe? Shwmai, Dafydd Rogers, hyfforddwr y merched," ac estynnodd ei law.

Ysgwydodd Wayne ei law yn solat.

"Wayne Parri, gŵr dy gapten di." Roedden nhw fel dau geiliog. Dau geiliog go debyg hefyd, jyst bod un yn dywyll a'r llall yn olau. Mae'r ddau yn dal efo cyrff da. Roedd 'na rwbath od iawn am eu gweld nhw efo'i gilydd fel'na.

"Ha, ie... Mae hi yn yffach o 'waraewraig, fe gei di sioc pan weli di hi mas ar y ca' 'na. Ti am ddod i'w gweld hi ddydd Sul on'dwyt ti?"

"Debyg iawn. Dwi'n dallt dy fod ti wedi gneud gwyrthia efo nhw."

"Weden ni mo 'ny. Odd y talent a'r brwdfrydedd yno'n barod. Wyt ti'n 'ware dy hunan?"

"Ail dîm. Gwaith yn cymryd gormod o f'amser i rŵan."

"Mi fuodd o'n chware i ogledd Cymru yn yr wythdegau," medda fi. "Fflancar. Steddwch 'newch chi?" Roedden nhw'n fy ngneud i'n annifyr yn sefyll ar ganol y gegin.

Sylwodd Dafydd ar y cyllyll a ffyrc ar y bwrdd.

"O, mae'n ddrwg 'da fi, wi'n styrbo'ch swper chi."

"Duwcs, nagwyt, fydd o'm yn barod am dipyn eto. *Shepherd's Pie*. Fasat ti'n licio peth? Ma' croeso i chdi gael swper efo ni."

"Na, wi'n mynd am stecen 'da Carys heno, diolch i ti."

“Carys Ty’n Lôn, ia?” holodd Wayne, gan dywallt dwy lwyaid o siwgwr i’w goffi. “Dwi’m wedi’i gweld hi ers blynyddoedd. Slasian o hogan.”

“Mae hi’n bert, odi.” gwenodd Dafydd. Roedden nhw’n gwenu ar ei gilydd rŵan.

“Ond nage i sôn am Carys ddes i ’ma. Af i’n syth at y pwynt : wi angen help, Llinos.”

Mae gan Wayne synnwyr digrifwch uffernol o od ac mae o’n mynnu piso chwerthin ar yr adegau mwya stiwpid.

“Sori,” medda fo wedyn. “Oedd o jyst yn swnio’n od am funud. Sori. A’ i o’ch ffordd chi ylwch. Neis dy gwarfod di Dafydd. Gobeithio y cei di help.” Ac mi gododd efo’i banad a giglan yr holl ffordd i’r parlwr. Ro’n i mor embarasd.

“Sori Dafydd, mae o’n cael pylia fel’na weithia.”

“Mae’n siŵr dy fod ti’n cael llawer o sbort yn byw ’da fe?”

“O yndw. Mae o’n gês a hanner. Dyna pam briodes i o, mae’n siŵr. Wayne Wacko oedden nhw’n ei alw fo ’sti. Oedd o’n gneud petha dwl fel dringo craen ar ôl sesiwn ac yn hongian ar ben i lawr gerfydd ei draed yn canu tiwn ‘Batman’. A neidio i mewn i’r afon ganol gaea’ yn hollol sobor jyst am hwyl. Mae’n lwcus ei fod o’n dal yn fyw. Jyst iddo fo gael niwmonia. Ond oeddat ti’n deud dy fod ti… ym… angen help…”

“O ie! Ie, wi’n teimlo ein bod ni angen hyfforddwr arall t’wel. Wi’n ei ffindo hi’n ofnadw o anodd dysgu y blaenwyr a’r cefnwyr ar yr un pryd, er ein bod ni wedi llwyddo yn rhyfeddol hyd nawr. Dyle fod un hyfforddwr i’r blaenwyr ac yn arall i’r cefnwyr t’wel. Wyt ti’n digwydd ’nabod unrhywun allai helpu? I hyfforddi’r blaenwyr os yn bosib.”

Roedd ei lygaid o yn berffaith las, nid y glas oer, dyfrllyd 'na welwch chi weithia, ond glas fel Paul Newman.

"Ym... wel, ges i goblyn o drafferth jyst i ffindio un yn do?"

"Wi'n gwybod, ond 'falle fod rhai o'r bois wedi newid eu meddylie erbyn nawr? Beth am Wayne? Fydde diddordeb 'da fe?"

"Wayne? Argol fawr na, mae o'n rhy brysur 'sti, a sgynno fo'm llwchyn o fynedd. Ac mi fysan ni'n siŵr dduw o ffraeo. Na, anghofia am Wayne." Taswn i'n berffaith onest, y prif reswm oedd nad o'n i isio iddo fo fod yn ran o'r peth. Rhywbeth i mi oedd y tîm, rhywbeth y tu allan i myd arferol i. Doeddwn i'm isio Wayne ar ei gyfyl o. "Feddylia i am rywun yli. Ella y daw 'na wirfoddolwyr ar ôl dydd Sul?"

"Ond meddwl cael rhywun ar gyfer y gêm oeddwn i..."

"O ia, dwi'n gweld be s'gen ti. A' i ar ôl y peth, paid â phoeni."

"Diolch Llinos. Ti'n werth y byd. Mae Wayne yn fachan lwcus iawn."

Roedd ganddo fo wefusau ffantastic, yn llawn a rhywiol, yn berffaith ar gyfer cusanu – fel rhai Val Kilmer yn union. Dim rhyfedd fod Menna wedi mopio a Carys yn maddau pob dim. Mae'n rhaid ei fod o'n ffantastic yn y gwely; a deud y gwir, roedd y ffaith yn gwbl amlwg. Ro'n i'n dechra cochi eto. Cododd o'r gadair.

" 'Na fe 'ten. Diolch am y coffi. Wela i ti nos Lun."

"Ia. Croeso." Roedd o wrthi'n mynd drwy'r drws pan drodd o rownd efo gwên slei:

"Gyda llaw, mae Carys yn dod mas mewn rash fel'na hefyd... hwyl!" Ac efo winc, mi ddiflannodd.

Mi stwffies i 'nwrn i 'ngheg a sgrechian tu mewn am

oes. Y diawl! Es i am y parlwr.

"Wayne? Pam na fysat ti 'di deud wrtha i am y rash?!"

"Pa rash, Mam? Wyt ti'n sâl?"

Damia.

Mi fethais i gael hyfforddwr arall, ond mi gynigiodd Jac stiward ein cymryd ni jyst am y ddwy noson oedd ar ôl cyn y gêm. Mae ganddo fo ddigon o waith ar ei blât fel mae hi chwarae teg. Os oedden ni'n cwyno fod Dafydd yn ein lladd ni, roedd Jac ganmil gwaeth. Roedd ganddo fo ryw ymarferion pasio'r bêl oedd mor gymhleth a chyflym roedden ni'n teimlo reit chwil ar eu holau nhw. Ac wedyn mi fuon ni'n gwthio'r peiriant scrymio 'na i fyny ac i lawr y cae efo fo a'r byd a'r betws yn sefyll arno fo. Roedd fy nghlustiau i ar dân rownd rîl ac yn dechra codi'n swigod.

Bore'r gêm, ro'n i'n byw ar y lle chwech unwaith eto. Doedd Wayne yn ddim help o gwbwl, yn meddwl fod y peth yn ddoniol dros ben. Roedd Eilir yn poeni amdanaf i, ac yn hofran ar y landing y tu allan i'r drws.

"Be sy'n bod, Mam? Ti'n sâl?"

"Cachu plancia mae hi," medda Wayne o waelod y staer.

"Ia? Pam 'nes di fyta plancia, Mam?"

* * *

Fi oedd y cynta i gyrraedd, felly mi sefais i tu allan i ddisgwyl. Roedd hi'n ddiwrnod rhyfeddol o heulog am fis Tachwedd ac yn weddol fwyn. Roedd y cae yn dalpiau brown ar ôl gêm galed y tîm cynta y diwrnod cynt, yn union fel tasa 'na lond cae o wartheg wedi bod yn cael disgo arno fo. Sgrialodd Ford Fiesta coch Beryl i mewn i'r maes parcio. Mae hi'n un ddrwg am yrru, hyd yn oed pan nad ydi ar frys. Mae un o'i brodyr hi'n poetshan efo ceir rali, felly mae'n siŵr fod hercio yn rhedeg yn y teulu. Daeth ataf i yn wên o glust i glust.

"Titha'n nerfus hefyd?"

"Ydi o mor uffernol o amlwg?"

"Wel, 'swn i'n gallu plannu tatws yn dy dalcen di."

"Diolch Beryl. Ni sy'n gynnar 'ta'r lleill sy'n hwyr? Dwi 'di anghofio'n wats."

"Mae 'na awr a hanner cyn cic off, ond go brin y bydd neb yn hwyr heddiw, hyd yn oed Gwenan." Mae Gwenan yn ddihareb. Bob tro mae 'na gyngerdd neu rwbath yn y cylch, mae Gwenan a'i thrŵps yn bustachu mewn efo uffarn o dwrw ar ganol yr eitem gyntaf, eu gwalltiau nhw dal yn wlyb a chareiau eu hesgidiau nhw'n llusgo'r llawr.

Cyrrhaeddodd Jac, Dafydd a Carys ac i mewn â ni.

Siân Caerberllan aeth i ddangos y stafell newid i'r ymwelwyr. Daeth yn ei hôl yn edrych yn bryderus.

"Ydach chi'n siŵr fod rhain ddim yn dîm rhy dda?"

"Pam? Be sy?" Roedd genod Aber wedi deud wrtha i eu bod nhw wedi eu curo nhw'n rhacs ddwywaith.

"Mae 'na uffar o lot o sics ffwtars yna, ac mae 'na un yr un siâp yn union â'r Johnny Loma 'na."

"Jonah Lomu, y bat!" chwarddodd Menna, nes i'r wybodaeth gysylltu â'i hymennydd. "Iesu, oes?"

"Wir yr."

Edrychodd pawb ar ei gilydd yn betrusgar.

"Hei, dowch 'laen genod," medda Beryl, "os ydyn nhw mor uffernol o fawr, go brin eu bod nhw'n gallu symud mor gyflym â ni. A *'the bigger they are the harder they fall'* cofiwch."

Ond roedd yr awyrgylch yn dal yn annifyr. Aeth pedair ohonon ni'n syth am y tŷ bach. A dyna pryd gyrrhaeddodd

Gwenan.

"Sori, genod! Car yn gwrthod cychwyn. Iesu, 'dach chi 'di'u gweld nhw? Maen nhw'n blydi anferth!"

Ro'n i mor falch pan ddaeth Dafydd i mewn yn wên o glust i glust.

"Mas â chi nawr i ymlacio tamed bach, a dewch nôl mewn deng muned i ni gael *build-up* i'w gofio."

Roedd 'na gryn dipyn o bobol wedi dod yn barod. Roedd Wayne a'r plant yn codi llaw arnaf i o ben arall y cae. Roedd Mam a Dad efo nhw hefyd, ar eu ffordd yn ôl o'r capel mae'n rhaid. Ro'n i'n falch ond yn cachu fy hun ar yr un pryd. Taflodd Tracy y bêl i mi, ac mi methais i hi'n llwyr.

"Ty'd 'laen Llinos!" gwaeddodd rhywun o'r dorf, "ti fod i'w dal hi 'sti!" Gwilym, un o ffrindiau darts Wayne oedd o. Damia, fo ydi'r mochyn siofinistaidd gwaethaf mewn bod. Wedi dod i heclo mae'n amlwg. Jyst be ro'n i ei angen.

Daeth dyn mewn siaced leder a thunnell o gamerâu am ei wddw aton ni. Roedd y papur wedi ei yrru draw, oedd hi'n bosib cael llun o'r tîm? Gymerodd o oes i'n gosod ni mewn tair rhes efo'r rhai dela yn y blaen, wrth gwrs. Ro'n i'n teimlo'n gymaint o hulpan yn y rhes gefn â 'mreichiau wedi plethu. Roedd o isio i rywun bôsio ar ei hyd ar lawr o'n blaenau ni rŵan 'to. Ro'n i ar fin deud wrtho fo lle i fynd pan neidiodd Menna ar ei thraed a thaenu ei hun dros y gwair fel ryw Lolita, ei llaw ar ei chlun, a'i cheg yn powtio'n bwdlyd. Roedd y dyn wrth ei fodd.

Toc, daeth y Saeson allan. Roedd Siân yn llygad ei lle efo'r Jonah Lomu o wythwraig. Roedd hon yn chwe troedfedd o hyd, rhyw lathen o led a'r cwbwl yn gyhyrau. Roedd ei choesau hi fel ceffyl gwedd a'i hysgwyddau hi fel rhai un o'r Gladiators. Mae'n siŵr ei bod hi'n hogan reit ddel yn y bôn, ond efo *gumshield* yn ei cheg, bandej am ei phen a Vaseline yn dalpiau tew dros ei hwyneb, roedd hi'n hyll fel pechod. Ro'n i'n teimlo reit sâl. Roedd 'na ambell un rhywbeth tebyg i ni, ond roedd y gweddill yn anferth. Do'n i ddim yn edrych ymlaen am y sgryms.

Ar ôl loncian ac ymestyn i gyfeiliant Gwilym a'i griw a'u gwaeddi a'u chwibanu pathetig, i mewn â ni i am y ddefod un i ddeg. Roedd Dafydd wedi weindio.

"Odyn, maen nhw'n fawr, ond mae mwy o allu ynoch chi. Chi gartre', mae'r dorf moyn i chi ennill, chi moyn ennill. Cadwch eich penne, cadwch reolaeth dynn ar y bêl 'na, sa i moyn unrhyw gamgymeriadau, dim un." Roedd ei lygaid o'n pefrio. Ro'n i wedi llwyddo i fod wrth ei ochor o am unwaith, ac roedd o'n gafael ynof i mor dynn ro'n i'n cael trafferth anadlu. Ond do'n i'm yn cwyno. "Wi moyn gweud pa mor falch ydw i ohonoch chi. Chi wedi rhoi popeth i mewn i'r ymarferion yn ddiweddar, sa i'n gallu achwyn am unrhyw un ohonoch chi. Chi'n yffach o dîm, a wi moyn i chi ddangos hynny heddi. Nia, rhed fel y gwynt, a Menna, wi moyn y bel 'na mas yn gloiach nag erio'd. Heather, lladda nhw. Taclwch nhw'n galed, pob un ohonoch chi. Os gaiff y ferch fawr 'na'r bêl, ewch amdani yn ishel. Dilynwch esiampl Llinos, ac fe wnewch chi'n wych." Es i'n binc. "Nawrte, awn ni am ddeg..."

Dechreuodd y styds ddiasbedain drwy'r stafell, ac ar ôl pum munud da o sgrechian a bygwth a seicio fyny i'r entrychion, roedden ni'n barod am unrhywun, unrhywbeth. Roedd Beryl yn bownsian yn erbyn y wal a'i ffroenau yn llydan agored. Bron na welwn i stêm yn tasgu ohonyn nhw. Tydi Gwenan, ar y llaw arall, byth yn gallu cymryd y bild yps 'ma o ddifri' ac mae'n cael trafferth peidio giglan drwy'r cwbwl. Mae Dafydd wedi dysgu peidio sbio i fyw ei llygaid hi bellach. Ei eglurhad hi ydi : "Dwi'm isio lladd neb, dwi jyst isio chwarae rygbi."

Gawson ni groeso gwych gan y dorf wrth i ni loncian ar y cae. Doedd hyd yn oed y tîm cynta ddim wedi cael torf fel hon drwy'r tymor, mae'n rhaid fod hanner y dre wedi dod. A myn uffar i, pwy oedd yn codi ei llaw gyferbyn â'r llinell hanner ond Anna. Roedd y plant i gyd efo hi wedi eu lapio mewn sgarffiau a chapiau oedd yn sgrechian "Drud". Doedd Dylan ddim efo hi. Mi godais fy llaw yn ôl a gwenu arni, ac ro'n i'n ei feddwl o hefyd.

Cyn hir, rhedodd y Sgowsars allan yn eu cit glas a gwyn. Clapio wnaeth y dorf chwarae teg, a phan welson nhw'r gawres roedd y syndod yn glywadwy. Roedd hi'n edrych hyd yn oed yn fwy ynghanol pawb arall ar y cae. Ro'n i'n gobeithio i'r nefoedd bod y sesiynau ychwanegol yn y gym wedi bod o fudd i ni.

Ni enillodd y *toss*, ac mi benderfynais i y bydden ni'n cicio gynta, doedd 'na fawr o wynt. Aeth pawb i'w safleoedd ac mi edrychais o 'nghwmpas am eiliad. Roedd 'na olwg gymaint gwell arnon ni erbyn hyn, coesau wedi caledu, boliau wedi diflannu a'r penderfyniad ar wyneb pawb yn werth ei weld. Ges i winc gan Gwenan. Mae hi wastad yn wên o glust i glust ar ddechra pob gêm.

Cododd y dyfarnwr ei chwiban i'w geg. Roedd y dorf wedi cynhyrfu bellach ac yn gweiddi anogaeth, er bod 'na sawl un yn amlwg yn meddwl mai jôc oedd y cyfan. Fel chwythodd y dyfarnwr, rhoddodd Carys gic daclus i'r chwith. Awê.

Daliodd eu prop nhw'r bêl, ond roedd Beryl wedi'i llorio hi'n syth. Ella na fedar Beryl redeg milltir yn rhy dda, ond mae hi'n mynd fel bom dros ugain llath. Ar ôl eiliadau gwyllt o dwrio a hyrddio, daeth y bêl yn ôl i Menna, ac mi gafodd Carys bas berffaith ganddi. Aeth y dorf yn wyllt. Pas wych i Ffion, yna bylchiad, ac roedd y bêl yn nwylo Nia. Llwyddodd i ennill ugain llath cyn iddi gael ei thaflu dros yr ystlys gan ddwy o'u cefnwyr nhw. Roedd pobol Tre-ddôl yn clapio a gweiddi, roedd hi'n amlwg nad oedden nhw wedi disgwyl gweld cystal chwarae.

Ond roedd hi'n lein owt iddyn nhw. Doedd ganddon ni'm gobaith yn erbyn y fath gewri. Fe ddaliodd Jenny Lomu y bêl lathen uwch fy mhen i a dyna ddechra y sgarmes mwya amhosib ei stopio. Fe gollon ni bob cam o'r ugain llath wnaeth Nia. O'r diwedd, a minna bron â cholli fy llais ro'n i'n gweiddi gymaint, daeth y sgarmes i stop. Roedd Ms Mynydd wedi penderfynu mynd amdani ar ei liwt ei hun. Cafodd Awel a minna ein sgubo i'r naill du ganddi fel tasan ni'm yn bod. Aeth Beryl amdani wedyn, yn isel fel roedd Dafydd wedi'i ddeud; mi gafodd afael yn ei choes dde hi a dal arni fel gefail, ond roedd hi'n dal i fynd, gan dynnu Beryl druan drwy'r llaid yn union fel aradr. Daeth Gwenan o rywle, ond cafodd *hand off* nes roedd hi'n gweiddi mewn sioc a phoen.

"Yr ast! Ro'dd hynna'n brifo!" sgrechiodd Gwenan, a'i llygaid yn melltennu. D'on i rioed wedi'i gweld hi'n gwylltio o'r blaen, doedd o ddim yn olygfa hardd a deud y lleia'. Aeth hi'n benwan.

"Ty'd yma'r gotsan hyll!" A rhedodd ar ei hôl hi yr eilwaith. Roedd hi fel Mount Etna ar goesau. Roedd Beryl wedi gorfod gollwng erbyn hyn ac wrthi'n trio codi a thynnu'r tunelli o fwd o'i llygaid ar yr un pryd. Carlamodd Gwenan yn syth drosti fel bod Beryl druan ar ei thrwyn yn y baw unwaith eto. Ond sylwodd Gwenan ddim, roedd ei llygaid fflamgoch hi wedi eu hoelio ar y wardrob ar goesau o'i blaen. Doedd mynd yn isel ddim wedi gweithio, felly anelodd Gwenan tipyn uwch a hyrddio'i hun at wasg y ferch efo'i holl nerth a thipyn mwy. Aeth Mount Everest i lawr fel tunnell o frics, ac aeth y bêl ymlaen o'i dwylo. Roedd y dorf wrth eu boddau, a llais Els, gŵr Gwenan, i'w glywed yn uwch na neb.

"Ieeeee! Go dda chdi hogan!"

Wedyn ges i ffit. Roedd Gwenan ar ei gliniau efo gwallt y gawres yn un llaw ac wrthi'n anelu dwrn at ei thrwyn hi efo'r llall. Ges i afael ynddi cyn iddi lwyddo i wneud niwed go iawn iddi.

"Callia! Be uffar ti'n feddwl ti'n 'neud?"

"Talu'r pwyth yn ôl 'de! Sbia 'nhrwyn i!" Roedd 'na waed yn diferu o'i ffroenau, a marc coch, cas rhwng ei llygaid. Wrth lwc, roedd y dyfarnwr yn hen foi iawn a chafodd Gwenan mo'i chosbi, ar wahân i rybudd. Ond roedd hi dal am waed yr hogan.

Roedd y sgrym yn artaith, yn colapsio bob munud. Lwcus bod y bêl wedi saethu drwy 'nghoesau i yn weddol gyflym ar y pedwerydd cynnig. Roedd ein dwy glo ni yn griddfan dan yr holl bwysau, heb sôn am y rheng flaen druan. Rhywsut, llwyddodd Carys i roi homar o gic aeth dros yr ystlys yn berffaith a dod â ni'n ôl i dir diogel.

Bu gweddill yr hanner cynta yn frwydr a hanner, ond lwyddodd neb i sgorio. Bob tro roedd y gawres yn cael y bêl, roedd 'na ddwy neu dair ohonon ni ar ei phen hi'n syth. Mi fuon ni'n camsefyll braidd yn rhy aml, ond doedd eu cicwraig nhw ddim yn cael hwyl arni, diolch byth.

Ro'n i mor falch pan ddaeth hanner amser. Rhedodd Dafydd a Jac ymlaen a'n canmol ni i'r cymylau. Tywalltodd Beryl y bwced ddŵr dros ei phen a llwyddo i gael y mwd o'i thrwyn a'i cheg a'i chlustiau o'r diwedd.

"Dwi 'di bod yn cario tunnell o fwd o gwmpas efo fi," medda hi. "Sbia!" a thynnodd dalpiau mawr o laid o'i bra.

Ar ôl llowcio dŵr ac orennau, i ffwrdd â ni am yr ail hanner. Roedd Wayne a'r plant yn gweiddi nerth eu pennau, ac roedd Anna a'i haid yn dal yno ac yn edrych fel tasen nhw'n mwynhau hefyd.

O fewn pum munud, roedd y blydi hogan fawr 'na wedi sgorio cais reit o dan y pyst. Roedden ni wedi rhoi cyfle iddi gael lle i redeg a doedd 'na'm gobaith ei stopio hi unwaith iddi gael momentwm. Mi fysa'n haws rhoi stop ar hippo. Mi gawson nhw'r trosiad hefyd. Cododd sŵn y dorf wedyn, roedden nhw y tu ôl i ni gydag angerdd, roedd hyd yn oed Gwilym yn gweiddi petha call o'r diwedd.

Ar ôl cic dda arall gan Carys, roedd 'na lein ugain llath o'u llinell gais nhw. Llwyddodd Awel i ddwyn y bêl o'r awyr, ac ar ôl ychydig eiliadau o duchan a gweiddi a gwthio, saethodd Beryl drwyddyn nhw a mynd fel fflamia mewn linell berffaith syth am y gornel. Roedd hi'n wych, yn ochrgamu fel Barry John a'r coesau byrion, cadarn 'na'n carlamu mynd. Pasiodd i Heather, pasiodd hitha i minna ond ges i 'nhaclo. 'Chollais i mo'r bêl, diolch byth, ac mi ddaeth yn ôl yn daclus wrth draed Beryl. Doedd 'na 'mond pum llath rhyngddi hi a'r llinell, ac mi aeth hi amdano fo. A myn uffar i, er bod 'na ddwy ohonyn nhw yn sownd yn ei chlunia' hi, mi lwyddodd i grafu fodfedd dros y llinell. Roedd y dorf yn canu clodydd "Beryl Big Bêl" nes roedd y ddaear dan fy nhraed i'n crynu. Crafu dros y bar wnaeth cic Menna hefyd. Roedd y sgôr yn gyfartal. Roedden ni wedi cynhyrfu go iawn rŵan, a'r dorf yr un modd. Roedd y gweiddi yn ffantastic a hyd yn oed Anna yn neidio i fyny ac i lawr er bod y bychan yn ei breichiau.

Cawson nhw gic gosb toc wedyn, ond fe dalon ni'n ôl efo cais arall. Nia sgoriodd y tro yma, diolch i waith gwych ganddon ni, y blaenwyr. Ond methu wnaeth y trosiad. Roedd hi'n 12 -10 i ni a chwarter awr ar ôl.

Roedd yr awyrgylch yn drydanol a chriw o blant yn canu, "T-R-E-,DD-Ô-L, DEWCH O'NA *BABES* TRE-DDÔL!" Roedden ni i gyd yn rhedeg ar adrenalin pur, ac yn teimlo 'run gnoc. Yn anffodus, roedd y Sgowsars yr un fath yn union. Roedd Nia yn taeru ei bod wedi hyrddio eu hasgellwraig nhw dros yr ystlys cyn iddi lorio'r bêl, ond roedd y dyfarnwr yn mynnu rhoi'r cais iddyn nhw. Tasa gen i wn, dwi'n meddwl y byswn i wedi'i saethu o. Mi fuon ni'n ymladd fel dwnimbê wedyn – prin gafodd neb gyfle i anadlu, roedd popeth yn digwydd mor sydyn. Ond pan aeth y chwiban olaf, roedden nhw wedi ennill 12-15. Ro'n i jyst â chrio.

Daeth y gwrthwynebwyr i ysgwyd dwylo efo ni, ond prin fedrwn i ddeud pwy oedd pwy, roedd 'na gymaint o fwd yn drwch dros bawb, a'n llygaid inna yn cronni.

Roedd y dorf yn cymeradwyo, ar wahân i Gwilym a'i fêts oedd yn gweiddi, *"Get your tits out"* ac am i ni newid ein crysau ar y cae. Chymerais i ddim sylw ohonyn nhw, ond mae'n rhaid fod Beryl wedi cael llond bol. Cerddodd yn araf i gyfeiriad Gwilym yn wên i gyd, ac ynta'n meddwl ei bod hi'n mynd i roi *quick flash* iddo fo yn ôl siâp ei lygaid. Rhoddodd hitha ei llaw i lawr ei chrys yn araf a rhywiol heb dynnu ei llygaid oddi arno fo. Doedd Gwil ddim yn credu ei lwc. Roedd ei geg anferthol o fel ogof a'i lygaid fel soseri. Ac yna mi gafodd slepjan o fwd yn ei wyneb. Roedd ei grônis o'n chwerthin nes roedden nhw'n sâl. Chwythodd Beryl gusan iddo fo a cherdded am y stafelloedd newid a'i thin yn siglo o ochor i ochor fel Mae West efo un esgid yn llai na'r llall. Uffar o hogan.

Roedd y clwb yn orlawn a Jac a'i staff y tu ôl i'r bar yn cael amser caled iawn yn trio gweini ar bawb. Daeth Anna ataf i y munud welodd hi fi.

"Dwi'n cymryd bob dim yn ôl Llinos, roeddach chi'n grêt, a mae o'n edrych yn gymaint o hwyl. A wyddwn i ddim fod Doctor Prydderch yn chware. Wnes i rioed feddwl."

"Be? Ti awydd rhoi cynnig arni rŵan? Os ydi rhywun clyfar a pharchus fel doctor yn gallu'i 'neud o, ia?" Do'n i ddim yn ei feddwl o'n gas, dim ond tynnu ei choes hi.

"Wel, 'dwn 'im am hynny chwaith..."

"Gêm i genod hyll a lesbians, ddeudist ti ynde? Ond fel ti'n gwbod, mae pob un ohonan ni yn hollol hetero, a does 'na'm llawer o genod hyll yma heddiw, nagoes?"

Gwenodd a chochi chydig.

"Ty'd 'laen! Dwi'n gwbod yn iawn y bysat ti wrth dy fodd. Oeddat ti'n uffar o chwaraewraig hoci, doeddet? A ti'n dal yn ffit 'dwyt?"

"Wel, dwi'm yn ddrwg, ond..."

"Ty'd am ymarfer ryw noson, jyst i gael gweld?"

"Gawn ni weld. Dwi'n gorfod mynd rŵan, dwi'm isio i'r plant 'ma weld gormod ydw i?"

"Iawn. Wela i di nos Lun?"

Ond dim ond gwenu wnaeth hi.

Roedd Wayne wrth y bwrdd pŵl efo'r plant. Estynnodd beint i mi.

"Da iawn chdi."

" 'Nest ti fwynhau 'lly?"

"Do tad."

"A?"

"A be?"

"Dyna'r cwbwl sy' gen ti i'w ddeud?"

"Be t'isio'i glywed 'lly?" Sbiodd arnaf i dros ei wydr peint a gwên ddrwg ar ei wyneb. "Bod dy din di'n edrych yn ffantastic? Dy fod ti'n uffernol o secsi pan ti'n rhowlio yn y mwd?"

"O ha ha."

"Achos dyna o'n i'n ei feddwl. Ges i fin pan daclaist ti'r hogan fawr 'na. Oeddat ti mor... dw'n i'm... *aggressive*?" Roedd o o ddifri. Aeth fy stumog i din dros ben ac es i'n od i gyd. Ro'n i'n gwybod yn iawn fod gan ynta fin unwaith eto hefyd. Tasa'r plant ddim yna yn swnian isio mwy o *coke*, mi faswn i wedi'i lusgo fo i'r stafell newid y funud honno. Fel roedd hi, y cwbwl allwn i ei 'neud oedd closio ato fo a'i deimlo fo yn galed yn erbyn fy nghlun i. Roedd y lle mor orlawn, doedd 'na neb yn sylwi lle'r oedd ei law chwith o.

Gwthiodd Dafydd ei ffordd aton ni.

"Shwmai Wayne? Joio?"

"O, sgen ti'm syniad," atebodd Wayne. Roedd ei fysedd wedi cyrraedd pen eu taith, yn troelli yn y lleithder, a'r cwbwl fedrwn i ei 'neud oedd brathu fy ngwefus isa' a gwneud fy ngore i beidio gwichian.

"Ro'n i'n falch iawn o'u perfformiad nhw, rhaid i mi weud. A beth oeddet ti'n ei feddwl o berfformiad y capten?"

Gwenodd Wayne.

"Inspirêshynyl Dafydd. Inspirêshynyl, ecseitio fi'n lân."

"Wi'n falch. Llinos, fuest ti damed bach yn rhy wyllt gyda'r *Deep Heat* wi'n credu. Mae 'da ti rash ofnadw ar dy frest," Gwenodd yn ddiniwed a throi yn ôl am y bar. A jyst i mi dagu ar fy mheint.

Mount Everest gafodd eu gwobr nhw am *Woman of the Match*, a Beryl oedd ein dewis ni, er bod Heather yn dynn wrth ei sodlau, roedd y ddwy wedi taclo yn fendigedig. Pan benderfynodd Wayne y bysa'n well iddo fo a'r plant fynd adre a minna'n addo efo sws slei na fyddwn i'n hwyr, es i at Beryl a Menna oedd yn cael sgwrs fywiog efo Emyr Owen, oedd yn chware prop i Wrecsam nes iddo fo falu ei benglîn yn rhacs.

"Llinos! Gesia be?" medda Beryl â'i braich am ysgwydd Emyr, "mae Emyr fan hyn wedi gwirioni efo ni ac yn cynnig ei hun fel hyfforddwr!"

"Ti o ddifri?" medda fi.

"Ydw tad," medda Emyr. "Dwi angen sialens newydd a dwi 'di laru ar ddysgu'r *juniors* erbyn hyn – dwi wrthi ers wyth mlynedd rŵan. Ac mae gen i syniadau am sut i wella eich sgrymio chi."

"Dafydd?" gwaeddais arno fo dros hanner dwsin o bennau, "ty'd yma!" Fel ro'n i'n cyflwyno'r ddau, roedd Menna wedi llwyddo i wasgu ei hun yn dynn dan gesail Dafydd ac yn gwenu fel tasa menyn yn rhewi'n gorn yn ei cheg hi. Roedd gen i syniad reit dda be oedd yn mynd ymlaen a do'n i'm isio gwbod felly es i i siarad efo'n gwrthwynebwyr oedd wrthi'n stwffio'u hunain efo'r bwyd roedd Siân Caerberllan a Fflur wedi bod yn chwysu'n ei baratoi i ni ers oriau.

Rhywsut mi ges i fy mherswadio i ymuno efo nhw mewn gêm yfed na welais i rioed mo'i thebyg. Roedd hi mor uffernol o amhosib, roedd fy mhen i'n troi o fewn hanner awr, ac ar ôl awr ro'n i'n gweld y bliws. Mary Murphy oedd enw Mount Everest, ac roedd hi'n uffar o hogan annwyl ac yn berffaith sobor er gwaetha'r galwyni o *Guinness* roedd hi'n eu llowcio fel dŵr. Roedd eu hanner nhw o dras Gwyddelig a chyn hir roedden ni'n bloeddio canu *"Come on you Black and Tans"* nes i Jac ofyn i ni roi'r gorau iddi am fod y Musus yn cwyno. Typical. Glywes i rioed mohoni yn gofyn i'r hogia beidio canu. Ond mae'n debyg mai'r cynnwys gwleidyddol oedd yn mynd dan ei chroen hi. Aeth petha'n rhemp wedyn. Mi fuon ni'n canu petha gwaeth o lawer a Jac druan yn trio dal pen rheswm efo'i hen ddynes biglyd oedd yn edrych fel tasa hi ar fin chwythu *gasket* unrhyw funud.

Aeth petha o ddrwg i waeth. Cyn i mi ddeall yn iawn be oedd yn digwydd, ro'n i'n un o bump o ferched oedd yn gorfod chwarae'r gêm greision y bu Gwenan a Beryl yn gwrthod egluro be oedd hi i mi yn y caffi. Menna oedd yng ngofal y coreograffi fel petai, a hi oedd yn dewis pum dyn bach diniwed a'u perswadio i orwedd lawr ar eu cefnau mewn rhes. Gwilym, y mochyn, oedd fy mhartner i. Agorodd Menna falog pob un fel bod 'na driongl bach o drôns yn y golwg a thaenu hanner pecyn o greision dros y triongl. Fel roedd hi'n gwneud hyn i bob un yn ei dro, doedd yr un ohonyn nhw yn cwyno na phrotestio ond roedd 'na olwg wedi dychryn yn arw arnyn nhw. Gwenu yn braf oedd Gwilym nes i Menna agor ei falog o.

"Hei! Be uffar ti'n feddwl ti'n 'neud?" medda fo, gan neidio ar ei draed, yn amlwg wedi panicio'n lân.

"Paid â phoeni, mi fyddi di wrth dy fodd," gwenodd Menna, ond gwrthod wnaeth Gwilym a'i heglu hi am y tŷ bach i gyfeiliant, "Y cachgi diawl!" a chwibanu dirmygus. Doedd gen i'm partner felly, ac es i'n ôl am fy sêt yn ddiolchgar. Ond mi gododd Dafydd ar ei draed a fy llusgo i'n ôl.

"Wi'n fodlon bod yn syb," medda fo a gorwedd ar ei

gefn lle bu Gwilym. Roedd Menna wrth ei bodd ac mi gymerodd oes i agor ei falog o a gosod pob creisionen unigol yn ei lle. Roedd Carys yn hanner gwenu wrth y bar ond yn gafael yn dynn yn ei pheint.

Eglurodd Menna y rheolau yn Saesneg er mwyn y genod o Lerpwl.

*"So now you squat over their faces like this,"* medda hi gan osod ei phengliniau bob ochor i ben Dafydd, *"and when I say 'Go' you eat the crisps. But you have to keep your hands behind your back, like this, yeah? The first one to finish the crisps is the winner, but if there's any sign of arousal on the man's part, as it were, you're disqualified.* Pawb yn dallt? Ocê. *Positions* plîs genod."

Cododd ar ei thraed yn araf a rhoi winc i Dafydd oedd wedi cochi at ei glustiau. Roedd sŵn y gynulleidfa yn fyddarol, y genod yn rhowlio chwerthin, y dynion methu credu eu llygaid a Jac yn ryw hanner protestio ond eto ddim yn codi ei lais yn uchel iawn. Diolch i'r nefoedd bod Dora wedi hen adael mewn stremp.

"Go!" medda Menna.

"Sori Dafydd," medda fi wrth benlinio a dechra llowcio'r creision ora' medrwn i, ond ro'n i'n canolbwyntio mwy ar gadw fy malans. Sgrechiodd y dorf. Roedd un o genod Lerpwl wedi gorymestyn ac wedi disgyn ar ei thrwyn i ganol creision Emyr druan oedd yn gwingo fel gwenci. Roedd Nia yn edrych yn anghyfforddus iawn efo pen un o frodyr Siân Caerberllan rhwng ei chluniau ac yn amlwg yn casáu creision. Fedrwn i'm credu 'mod i'n gwneud hyn, ond eto ro'n i'n mwynhau mewn rhyw ffordd gyntefig. Roedd hi'n berffaith amlwg i mi fod Dafydd yn mwynhau mwy nag oedd y rheolau yn caniatáu hefyd, roedd y creision yn codi i gyfarfod fy nhrwyn i. Ro'n i isio chwerthin mwya ofnadwy, ond efo llond ceg o greision roedd hi'n anodd. O'r diwedd, gwaeddodd y dorf, roedd un o genod Lerpwl wedi gorffen gwledda. Codais ar fy nhraed ac estyn fy llaw i Dafydd, oedd yn brysio i gau ei falog. Gwenodd yn swil arnaf i. Gwenais inna'n ôl a phwyntio at ei frest:

"Mae gen ti rash, Dafydd."

Daeth Carys atom ni efo'i pheint.

"Diawl o gêm ydi hi 'te?"

"Uffernol!" cytunais inna.

"O, fydden i'm yn gweud 'ny," gwenodd Dafydd. "Oeddet ti wrth dy fodd efo'r bachan 'na yn Aberystwyth on'd oeddet ti Carys?" Trodd ataf i. "Lyncodd hi'r creision 'na i gyd cyn i'r gweddill gael cyfle i ddechre. Ro'dd y bachan gwment wrth ei fodd, gelon nhw eu discwaliffeio."

Roedd y ddau yn sbio ar ei gilydd fel dau darw, gormod o feibs i mi o beth coblyn. Mi lwyddais i ddianc at Beryl a Gwenan oedd yn sgwrsio efo Emyr.

"Glywaist ti hynna do, Llin?" medda Beryl. "Mae Emyr yn dechra fel hyfforddwr y blaenwyr ddydd Llun, ond 'Mini Bys' 'dan ni am ei alw fo am ei fod o'n rhy fyr i fod yn 'Coach'!" Ar ôl yr holl gwrw, roedden ni gyd yn meddwl fod hynna'n wirioneddol ddigri ac mi gymerodd rai munudau i mi fedru rheoli fy hun i'w longyfarch o. Dwi'm yn cofio llawer ar ôl hynna, ar wahân i gael fy llusgo adre gan Gwenan ac Awel. Dwi'n cofio dim am Wayne yn fy rhoi yn fy ngwely. Ac erbyn i mi ddeffro roedd y plant wedi mynd i'r ysgol ac ynta wedi mynd i'w waith. Ac roedd gen i'r cur pen mwya diawledig.

# Pennod 11

ROEDD Y GÊM gartef wedi bod yn llwyddiant ar sawl lefel. Roedd Emyr yn hyfforddwr heb ei ail, yn gwybod ei stwff, yn llawn syniadau am benalti mŵfs gwych, yn ein gweithio ni'n galed ac eto yn gadael i ni gael hwyl. Roedd ein ffitiau giglan ni wedi mynd dan groen Jac oedd yn mynnu disgyblaeth lem, bron yn fyddinaidd, ond roedd Emyr wedi deall bod angen trin merched yn wahanol. Mi fedar dyn mewn awdurdod weiddi ar griw o ddynion eraill (a'u galw nhw yn bob dim dan haul) ac mi fyddan nhw fel defaid mewn chwinciad, ond tydi merched ddim yn gweithio fel'na.

Hefyd, roedd 'na ddwsin o chwaraewyr newydd wedi ymuno efo ni, gan gynnwys Anna. Mi gafodd Menna ffit o'i gweld hi'n cerdded i mewn i'r stafell newid efo fi.

"Be uffar mae *Lady Muck* yn da yma?" medda hi wrth inni gerdded am y cae. "Mae honna'n ormod o bansan i ddal y bêl heb sôn am daclo neb."

"Ti'm yn 'i nabod hi. Mae hi'n fwy cystadleuol na chdi a fi efo'n gilydd, mêt."

"Mae 'na wahaniaeth mawr rhwng peidio gadael i neb wisgo'u plant yn well na dy rai di a pheidio gadael i rywun fatha Mary Murphy dy basio di efo'r bêl."

"*Watch this space* Menna fach, mae Anna yn mynd i roi coblyn o sioc i ni gyd."

A ches i mo fy siomi. Doedd Anna heb golli dim o'i chyflymdra ac roedd hi'n ddigon bywiog ar ei thraed i ochrgamu heibio i Heather hyd yn oed. Roedd Dafydd wrth ei fodd.

"Le yffach wyt ti wedi bod gwêd? Pam na fyddet ti wedi ymuno â ni o'r dechre?"

"Ym... stori hir."

"Wel, sdim ots, ti gyda ni nawr."

Edrychodd Anna ar ei thraed a chrafu y tu ôl i'w chlust.

"Wel, ella. Mae'n dibynnu."

"Dibynnu ar beth?"

"Dylan, fy ngŵr i."

"O na! So fe yn erbyn menywod yn 'ware rygbi odi fe?"

"Wel, ydi mae o a deud y gwir, ac mae gynnon ni chwech o blant, a taswn i'n brifo, mi fasa 'na le ofnadwy acw yn bysa? Jyst isio dod bob hyn a hyn ydw i, a dwi wir wedi mwynhau, a dwi isio dod eto, ond dwi'm yn meddwl y bysa Dylan yn gadael i mi chwarae gêm go iawn. Ges i goblyn o drafferth yn ei berswadio fo i 'ngadael i ddod heno."

Doedd Dafydd druan ddim yn gwybod be i'w ddeud; roedd clywed fod ganddi chwech o blant wedi dychryn digon arno fo yn ôl ei wyneb o. Edrychodd ar Emyr a chodi ei ysgwyddau yn anobeithiol.

"Be am i Dafydd a minna ddod draw i'w weld o?" cynigiodd Emyr. "Ti'n meddwl y gneith o newid ei feddwl wedyn?"

Ysgwydodd Anna ei phen. "Na, does 'na'm pwynt. Tydi o rioed wedi newid ei feddwl yn ei fyw. Ond ga i ddod i ymarfer efo chi beth bynnag?"

Edrychodd pawb ar ei gilydd.

"Iawn, wrth gwrs 'ny," medda Dafydd, "ond mae'n

gymaint o wastraff on'dyw e? Os o's dawn 'da rywun, so ti'n credu ei bod hi'n ddyletswydd arnyn nhw i'w ddefnyddo fe?"

Ond doedd 'na'm symud arni, er ei bod hi'n amlwg o'i llygaid hi fod geiriau Dafydd wedi mynd at ei chalon.

Roedd Menna yn un o'r cynta i longyfarch Anna ar ei chwarae.

"Sori Anna, o'n i'm yn meddwl bysat ti hanner cystal â hynna. Roeddat ti'n blydi grêt. Croeso aton ni."

"Ia," ategodd Beryl. "Ac mi ffeindiwn ni ffordd o newid ei feddwl o 'sti. Wêr ddêrs a woman ddêrs a wê."

Ond er i ni ymuno â'r gynghrair a chael llwyth o gemau bob wythnos, doedd dim yn tycio. Doedd Dylan ddim am symud modfedd. Pan mae dyn fel yna wedi penderfynu rhywbeth, dyna ddiwedd arni. Mi fyddai'n haws symud craig Gibraltar i Rachub. Maen nhw'n credu fod peidio symud yn arwydd o ddyn cry', selog, *macho*, yn enwedig os mai merch sy'n trio gwthio. Roedd hi'n amlwg ei fod o wedi bod yn siarad efo rhai o'r hogia eraill hefyd. Daeth Gwenan i un o'r ymarferion â'i llygaid yn goch. Doedd hi ddim am drafod y peth ar y dechra, ond mi dywalltodd y cwbwl tra'n sgwrio yn y gawod.

"Els sydd isio i mi roi'r gore iddi. Mae o'n cwyno 'mod i'm yn rhoi digon o sylw iddo fo a'r plant rŵan, ac mae o wedi cael llond bol o *pizzas* amser cinio dydd Sul."

"Wel am blydi hunanol!" medda Menna. "Disgwyl i chdi drop tŵls jyst am ei fod o isio'i *yorkshire pudding*!"

"Fi sy'n hunanol medda fo, yn rhoi be dwi isio o flaen be mae'r teulu ei angen."

"Be? A wnaeth o rioed mo hynny mae'n siŵr?" Roedd Beryl yn flin.

"Mae rôl mam yn wahanol medda fo. Mae plant sy heb

gael digon o sylw gan eu mamau yn tyfu i fyny wedi cowlio'n lân ac yn troi'n *juvenile delinquents.*"

"Treial gneud i ti deimlo'n euog ma fe!" medda Heather. "Paid â chymryd sylw ohono fe. Mae rôl y tad yr un mor bwysig."

"Ond mae'n ddigon hawdd i chi ddeud hynna, sgynnoch chi'm plant, nagoes?"

Roedd y genod sengl i gyd yn fud, a hyd yma doedd 'na'r un o'r mamau eraill wedi deud gair. Trodd Menna ataf i.

"Deud wrthi Llin!"

O hec. Ar ôl trio cael ysbrydoliaeth o'r nenfwd, rois i gynnig arni:

"Yli Gwenan, 'swn i'n cytuno na ddylet ti adael i'r plant ddiodde, ond mae 'na ffasiwn beth a blacmel emosiynol yndoes? Ac mae gynnon ni gystal hawl â neb i fwynhau bywyd, yndoes? Ond wedi deud hynna, os ydi'r briodas dan straen, ydi o werth o? Dwi'n lwcus, mae Wayne yn weddol hapus 'mod i'n chwarae, ond tasa fo'n dechra cwyno go iawn, mae'n rhaid i mi gyfadde, dwi'm yn siŵr iawn be fyswn i'n 'neud. Ydi gêm yn bwysicach na dy deulu di? Dyna'r pwynt, ynde?"

Nid dyna oedd y genod wedi gobeithio fyddwn i'n ei ddeud, ond do'n i ddim am ddechra rhaffu celwyddau.

"Mi geith Wayne lond bol toc hefyd, watsia di," snwffiodd Gwenan. "Ta waeth, dwi wedi cytuno i'w gyfarfod o hanner ffordd, felly fydda i ddim yn chware dydd Sul, ocê? Mae o'n rhy bell beth bynnag a no wê ga i aros dros nos. Sori genod, ond fel'na mae hi."

Roedden ni wedi trefnu chwarae yn erbyn Abertawe ac wedi bwcio i aros mewn gwesty rhad ar y nos Sadwrn. Mi fuon ni'n gwneud ein gorau i drio newid ei meddwl hi, ond doedd 'na'm pwynt. Roedd traed Gwenan hefyd wedi'u sodro mewn concrit ar Graig Gibraltar.

Roedd Dafydd ac Emyr yn fflamio.

"Le yffach ni'n mynd i gael prop arall, gwêd? Mae Fflur yn rhy fach, gele hi ei lladd, a does gyda Julie a Gwenda mo'r profiad i wynebu neb 'to, ac yn sicr nid Swansea Uplands. Maen nhw'n yffach o dîm caled."

Aeth y ddau i'r bar i drafod y peth ac aeth Gwenan adre.

Toc, mi gododd y ddau eu pennau o'u peintiau a galw ar Siân Caerberllan a minna i ddod draw. Sbiodd pawb ar ei gilydd a chododd Siân ei hysgwyddau.

Roedden nhw am i Siân fod yn brop yn lle Gwenan. Agorodd hitha ei llygaid fel soseri a dechra agor a chau ei cheg fel pysgodyn aur heb ddŵr.

"Fi? Ond dwi'n anobeithiol!"

Rhoddodd Emyr ei law ar ei hysgwydd.

"Ti'n gryfach 'na'r un o'r sybs eraill, a'r cwbwl 'dan ni'n ofyn i ti ei 'neud ydi propio, jyst dal y pwysa yn y sgrym. Fyddan ni'm yn disgwyl i chdi 'neud heroics, s'na'm rhaid i chdi ddal y bêl o gwbwl, jyst mynd o'u ffordd nhw, helpu'r blaenwyr eraill yn gyffredinol a taclo os fedri di – ella."

"Fyddet ti'n ein helpu ni mas o'r twll hyn," medda Dafydd gan wenu'n ddel. "Fydden ni gyd mor ddiolchgar."

Ac mi gochodd at ei chlustia a chytuno. Beryg fod gan hitha galon feddal lle mae Dafydd yn y cwestiwn. Erbyn meddwl, roedd hi wastad wrth ei ochor o ar y lein ac yn rhedeg i nôl petha iddo fo bron cyn iddo fo ofyn.

Chwarae teg iddi, mi fu'n ymarfer fel ffŵl drwy'r nos Iau, ac yn propio yn erbyn Beryl dan wichian a thuchan nes roedd hi'n biws. Mae ganddi ysgwyddau cry ofnadwy, yn union fel ei thad a'i brodyr. Doedd hi'n da i ddim yn y chwarae rhydd, wastad o leia ddegllath ar ôl pawb arall, ond roedd y sgrym yn iawn – nid yn wych o bell fordd ond doedd ganddon ni fawr o ddewis.

Daeth dydd Sadwrn yn ddychrynllyd o sydyn. Roedd Mam wedi cytuno i warchod y plant ar yr amod eu bod nhw'n mynd i'r capel efo hi ddydd Sul, a do'n i ddim am ypsetio Wayne a gofyn iddo fo golli ei Sesiwn Nos Sadwrn, nid yn yr hinsawdd bresennol o leia. Doedd o byth wedi maddau i mi am ddod adre'n chwil y noson honno. Doedd o prin wedi deud gair wrtha i ers hynny a deud y gwir. A finna wedi gorfod mynd i'w nôl o o'r dre yn oriau mân y bore yr holl weithiau dros y blynyddoedd, am fod Harri Tacsis yn gwrthod mynd â fo oherwydd ei fod o'n rhy gaib. Mae isio amynedd Jôb efo fo weithia.

Am bedwar y pnawn, roedd pawb ar y bws yn barod i gychwyn. Roedd yr holl drip yn mynd i wneud homar o dwll yn ein coffrau ni; roedden ni'n gorfod talu am y gwesty o'n pocedi ein hunain, ond roedd Siân wedi llwyddo i ddod o hyd i le anhygoel o resymol, felly doedden ni ddim yn cwyno yn ormodol.

Roedd y siwrne i lawr yn boenus o hir, a gan ei bod hi'n olau dydd, roedden ni'n mynnu cael mynd i doiledau go iawn. Roedd y ciwio am y ddau le chwech yn mynd yn waeth bob tro. Doedden ni methu fforddio bws efo toilet.

Aeth y gyrrwr ar goll yn rhacs yn Abertawe. Doedd Siân ddim wedi sylweddoli bod y lle mor fawr a heb ofyn am gyfarwyddiadau yno, felly pan gyrhaeddon ni'r gwesty roedd hi'n tynnu at ddeg. Roedd Menna yn wyllt gacwn.

"Welwn ni fawr o *nightlife* Abertawe bellach, na wnawn? Erbyn i bawb gael eu syrfio mi fydd hi'n stop tap, bydd?" Roedd hi ar gymaint o frys i dynnu ei bag o'r silff uwch ei phen, mi dynnodd yn rhy wyllt ac mi ddaeth yr handlenni i ffwrdd yn ei llaw hi ac mi saethodd hitha yn ôl wysg ei chefn a glanio ar lin Dafydd oedd yn eistedd wrth ochor Carys. Doedd Dafydd yn poeni dim wrth reswm, ond roedd Carys fel tincar.

"Blydi hel Menna, watsia be ti'n 'neud !"

Cododd Menna ar ei thraed a gosod ei dwylo ar ei *hips*.

"Wel, SO-RI! Ond dwi'm yn clywed Dafydd yn cwyno, *quite the opposite* o be deimlais i."

Fel roedd ffroenau Carys yn dechra lledu, neidiodd Beryl ar ei thraed a gwthio Menna i lawr at flaen y bws.

"Ty'd 'laen Men, peint reit handi."

Siân Caerberllan oedd y cynta i ganu cloch drws y gwesty. Doedd o ddim yn edrych fel gwesty o'r tu allan, ar wahân i arwydd oedd wedi gweld y gwaethaf o'r ddau ryfel byd yn ôl ei olwg o.

Daeth dynes fach i'r drws a'i gwallt melyn potel mewn rolars.

*"Where've you been then? Eight o' clock, you said!"*

"O, sori," medda Siân. *"We got lost."*

*"Hmff. Wel, come in then. Upstairs it is, and you can sort who's going where youselves."*

Roedd 'na ogla mwya od ar y lle – fel cartre hen bobol a chathod oedd yn byw ar ddeiet o gabej.

Yn y stafell gynta roedd 'na ddau wely dwbwl a sinc. Roedd hi mor gyfyng yno, roedd y sinc yn hongian dros erchwyn y gwely pella. Roedd y stafell nesa ddigon tebyg hefyd, ond efo gwely plygu wedi'i wasgu rhwng gwaelod y gwlâu dwbl a'r wardrob. Roedd hi'n amlwg mai un gwely oedd yn arfer bod ymhob stafell ond ei bod hi wedi stwffio mwy o wlâu i bob modfedd sbâr.

"Ond mae o'n rhad!" protestiodd Siân druan pan

ddechreuodd pawb roi llond pen iddi.

"O dewch 'laen," medda Menna gan daflu ei bag anferth ar y gwely agosaf. " 'Dan ni'n gwastraffu faliwbl drincing taim fan hyn. Lle mae'r lle chwech? Dwi jyst â byrstio."

Ond roedd 'na giw yno yn barod. Un lle chwech oedd i bob llawr, ac roedd 'na wyth ohonon ni ar bob llawr.

Roedd Carys yn flin; roedd hi wedi bwcio llofft ddwbl efo Dafydd, ond roedd 'na wely arall yno, ac roedd Emyr yn gorfod cysgu ar hwnnw. Dyna'r unig wely oedd ar ôl iddo fo! Roedd Beryl yn meddwl bod yr holl beth yn destun chwerthin afreolus wrth gwrs, a fesul tipyn, daeth bron pawb i weld yr ochor ddigri, yn enwedig pan ddaeth tsiaen y lle chwech i ffwrdd yn llaw Siân Caerberllan.

Daeth y landledi i fyny'r staer.

*"I hope you're not going to make a racket like this all night. I've got other guests you know. Now, have you sorted yourselves out? Good, now just a few rules. I lock the door at midnight, so if any of you are later than that, here's the key. Breakfast for you lot is at 8.30 and I want you out by ten because it takes Elsie hours to clean all them rooms and I've got other guests arriving tomorrow. If you break anything or any sheets get nicked I'll get the police on you, all right? Enjoy your stay, goodnight."* A throdd ar ei sawdl a siglo ei ffordd yn ôl i lawr y staer, i gael hanner potel arall o wisgi, yn ôl yr oglau oedd arni.

Roedden ni i gyd yn fud.

"Wel!" medda Beryl ar ôl ysgwyd ei phen fel tasa hi'n trio deffro o hunlle. "Blincin *cheeks*! Tasa gen i ddillad gwely fel rhain, 'swn i'n talu rhywun i'w cymryd nhw! Sbia!" Tynnodd y cwrlid pinc yn ôl i brofi ei phwynt. Roedden nhw'n neilon melyn, afiach ac roedd 'na ambell flewyn amheus iawn wedi gweu eu hunain iddyn nhw.

"O, 'di o'm ots," medda Menna. "Digon o gwrw rŵan, ac mi gysga i yn y blymin sinc. Dowch, wir dduw."

Ac i ffwrdd â ni am oleuadau neon y stryd fawr.

* * *

Roedd pobman yn orlawn. Roedd y miwsig mor uchel nes ei bod hi'n amhosib siarad, a'r diodydd yn wirion o ddrud, ond roedden ni gyd wedi gwirioni.

"Cofiwch nawr, ferched!" gwaeddodd Dafydd fel roedden ni'n ciwio i fynd mewn i glwb o ryw fath, "pidwch â'i gorwneud hi, mae 'da ni gêm am un o'r gloch yfory!"

Ond roedd Beryl a Menna yn yfed *chasers* ac yn clecio fel petha gwirion. Ro'n inna'n cael trafferth cadw i fyny efo Siân, roedd y greadures wedi bod yn dawel iawn ar ôl araith y landledi ac yn amlwg yn mynd ati i anghofio. Roedd cynnal sgwrs yn amhosib unrhywle yn y clwb ar wahân i'r toiledau, ac roedd hanner poblogaeth fenywaidd Gorllewin Morgannwg wedi stwffio yno i gael clonc.

Roedd bron pawb yn gwisgo du neu goch, a hefo gwallt melyn a pherm a sodlau afresymol o uchel. Roedd y drych yn llawn o Pamela Andersons yn twtio'u gwalltiau, cochi'u gwefusau a thrafod dynion yn y modd mwya powld – roedden nhw'n gwneud i Menna swnio fel y Fam Teresa. Ro'n i'n teimlo mor allan ohoni yn fy jîns a chrys catlog, tra oedd Menna ar y llaw arall wedi gwisgo sgert fini swêd, ddu ac wrth ei bodd yn siglo ei thin o flaen wynebau fflamgoch criw o ffermwyr ifanc o ochrau Caerfyrddin.

Roedd Beryl yn bownsio dawnsio efo Emyr oedd yn amlwg yn anghyfforddus efo'r gerddoriaeth rêf. Doedd gan y creadur ddim syniad, yn hopian o un droed i'r llall yn swil a di-rythm, ond yn gwneud ei orau i wenu'n achlysurol. Roedd Dafydd ar y llaw arall yn amlwg yn rêfar. Roedd ei rythm o'n berffaith a doedd ganddo fo ddim ofn gadael ei hun i fynd. Roedd o'n edrych yn ffantastic, ond roedd Carys yn sownd ynddo fo. Roedd hitha'n gallu symud hefyd, chwarae teg. Ond doedd hi ddim yn yr un cae â Menna oedd bellach wedi cael gafael mewn dyn du heb grys, coblyn o bishyn oedd yn symud fel croes rhwng cath a neidar. Roedd edrych arno fo'n gwneud i mi deimlo'n reit od. Roedd pelfis y ddau yn un o be welwn i a'i ddwylo fo dros ei thin hi ym mhobman, yn tylino a mwytho. Gwneud ceg Kim Basinger a'i llygaid wedi hanner cau oedd Menna, ond roedd hi'n eu hagor nhw bob hyn a hyn i wneud llygaid ar Dafydd.

Allai Siân Caerberllan ddim credu be oedd hi'n 'i weld, roedd ei llygaid hi bron a disgyn allan o'i phen tra'n syllu ar Menna a'r Pelfis. Mi driodd hi ddeud rywbeth wrtha i ond fedrwn i'm clywed gair, felly dyma fi'n gafael yn ei braich a'i llusgo hi i ddawnsio. Cyn pen dim roedd 'na ddau ddyn bochgoch mewn crysau gwyn wedi'u smwddio'n berffaith yn dawnsio efo ni heb hyd yn oed ofyn. Mi wnaeth fy un i drio gafael ynof i ond mi gafodd y neges yn go handi. Ges i ffit pan ddechreuodd y llall stwffio'i dafod i lawr corn gwddw Siân, ond ges i fwy o ffit pan ddechreuodd hi fwytho'i wallt o a dechra ei lyfu o'n ôl. Mi ddiflannodd y ddau i rywle ar ôl hanner awr dda o fwyta'i gilydd, felly es i i ddawnsio efo Nia a Tracy.

Pan gaeodd y clwb, aeth y rhai oedd wedi bachu am dro i lefydd tywyll, aeth ambell un arall yn ôl am y gwesty, ond roedd y rhan fwya ohonon ni ar lwgu, yn marw isio bwyd. Roedd 'na le Indians yn dal ar agor, ac os dwi'n cofio'n iawn ges i win coch a *chicken tikka*.

Roedd 'na uffar o le y tu allan i'r gwesty pan gyrhaeddon ni'n ôl. Roedd y drws wedi'i gloi a'r goriad gan Siân. Doedd 'na'm golwg ohoni wrth gwrs ac yn y cyfamser roedd pawb arall yn sythu a'r landledi un ai'n fyddar neu'n gwrthod codi i agor y drws.

Roedden ni'n ystyried gyrru Nia i fyny'r beipen landar pan siglodd Siân ei ffordd tuag aton ni efo'r dyn yn hongian am ei hysgwyddau.

"Haia!" medda hi yn hapus braf. "Be 'dach chi gyd yn 'neud allan fa'ma? 'Dach chi'm yn oer d'wch?"

Bron iddi gael y goriad ble bu ei dafod o, ond yn y diwedd cyrhaeddodd pawb eu gwlâu a marw tan y bore. Doedd Siân a'i bachiad prin yn deall ei gilydd yn siarad Cymraeg gan ei fod o'n siarad yn union fel Denzil *Pobol y Cwm* ar sbîd; mi lwyddodd i gael gwared ohono fo yn y diwedd...

Am naw o'r gloch, roedd 'na guro mawr ar y drws a'r landledi yn gwichian bod brecwast yn mynd yn oer ac os na fyddai rhywun yn dod lawr mewn pum munud, roedd o'n mynd i'r bin.

Fel ro'n i'n trio molchi 'ngwyneb, roedd Beryl yn trio brwshio'i dannedd a Menna yn mynd yn wallgo methu dod o hyd i'w *moisturiser*. Dal i chwyrnu cysgu efo gwên angylaidd ar ei hwyneb oedd Siân, ond mi gododd yn reit handi ar ôl i Beryl dywallt llond mwg o ddŵr oer drosti.

Ar ôl clecio y gwniadur o sudd oren, roedd gan bawb fwy o syched nag erioed. Roedd y te fel piso cath ond mi aeth i lawr fel neithdar, tebotaid ar ôl tebotaid ohono fo. Coffi du gafodd Menna, a ryw gornelaid o dôst di-farmalêd, ond roedd Siân yn claddu drwy llond plat seimllyd o facwn, wy 'di ffrio a bîns heb gymryd unrhyw sylw o wynebau gwelw pawb oedd yn gorfod rhannu bwrdd efo hi. Doedd 'na fawr o sgwrs gan neb ar wahân i glochdar y landledi wrth iddi slamio petha ar y bwrdd yn fwriadol, a Siân oedd yn hymian iddi hi ei hun rhwng pob cegiad. Roedd yr ogla hen bobol a chathod wedi 'i foddi gan yr ogla saim a thôst wedi llosgi, a'r oglau alcohol oedd yn treiddio drwy gyrff y rhan fwyaf ohonon ni.

Roedd hi'n ddifyr gweld sut siâp oedd ar wahanol bobol peth cynta yn y bore. Roedd Dafydd yn edrych yn flinedig ond yn rhywiol yr un pryd, wrth gwrs, ond doedd Carys ddim hanner mor glam a deud y lleia. Roedd ei gwallt hi ym mhobman a'i llygaid fel cyrains a doedd 'na'm golwg o wên ar ei gwep hi. Erbyn deall, mae'n debyg fod Emyr yn chwyrnwr heb ei ail a Dafydd wedi cael K.O. cwbwl amhosib ei symud dros dri chwarter y gwely, felly doedd y greadures heb lwyddo i gysgu winc.

Roedd Menna wedi mynnu rhoi trwch o fêc-yp ymlaen cyn symud o'r stafell wrth gwrs, ac yn edrych yn rhyfeddol. Roedd 'na gylch *Ready Brek* o gwmpas Siân, ond roedd golwg y diawl ar Beryl druan.

"Dwi'n difaru'n enaid 'mod i 'di cael yr Indians 'na neithiwr. Be oedd ar 'y mhen i? Tydi cyrri a finna byth yn cytuno." A gwthiodd ei dyrnau i'w stumog dan riddfan. "O hec. Sgiwsiwch fi, dwi'n gorfod mynd." Diflannodd drwy'r drws fel mellten i gyfeiliant pawb yn hwtian ar ei hôl.

Ond cyn hir, roedd hanner y stafell wedi diflannu yn rhyfeddol o sydyn. Pan es i i fyny i bacio, roedd 'na giw ar hyd y ddau landing.

Does 'na'm Indians yn Nhre-ddô, a beryg fod ein stumogau ni heb arfer. Roedd fy *chicken tikka* i wedi ffrwydro cyn i neb ddeffro. Dim ond jyst deffro mewn pryd wnes i.

Yng nghanol hyn i gyd, mi redodd Manon i fyny'r staer, dal yn ei dillad bachu, a'i llygaid panda mascaredig fel soseri.

"Sori genod! Wir yr, dwi'n sori."

Doedd neb wedi gweld ei cholli a deud y gwir, ac roedd hi reit flin am y peth.

"Ble fuest ti 'ta, y diawl bach drwg?" holodd Beryl.

"Gest ti fachiad yndo!" chwarddodd Menna. "Ac mi roedd o angen siafio hefyd, sbia golwg ar dy ên di..." Roedd gên Manon druan yn fflamgoch. "A blydi hel, roedd o isio asgwrn hefyd, sbia!"

Cododd Menna gudyn o wallt er mwyn i pawb gael gweld. Welais i erioed frathiad mor anferthol yn fy myw. Roedd o'n biws a choch ac yn wirioneddol hyll.

Aeth Manon yn welw pan welodd ei hun yn y drych.

*"Oh my god!* Damia! Mi 'neith Mam fy lladd i, a be ddiawl dwi'n mynd i ddeud wrth Gwynfor?" Gwynfor ydi'r cariad.

"Tria ddeud mai clais gest ti ar ôl tacl uchel," gwenodd Beryl. "Mae Gwynfor mor ddwl, mi gredith o rwbath."

Am ddeg ar y dot, mi gawson ni ein hel allan i wneud lle i Elsie a'i hwfar.

"Gobeithio bod gan y greadures *gas mask,"* chwarddodd Awel oedd yr olaf i adael y lle chwech.

"Reit, be 'dan ni fod i 'neud tan un 'ta?" holodd Menna oedd wedi cynnau ffag ar y palmant.

Cwestiwn da. Ond roedd 'na MacDonalds rownd y gornel a fan'no fuon ni am ddwyawr yn popio paracetamols, yfed mwy o de a choffi a chiwio am ddrewdod cynyddol y lle chwech. Roedd y brecwast yn atgyfodi rŵan.

Gawson ni groeso cynnes iawn gan genod yr Uplands ond roedd hi'n stori gwbl wahanol ar y cae. Doedden nhw ddim yn genod mawr, ond roedden nhw fel cathod gwyllt a ninna fel hen gathod mawr, tew oedd prin yn gallu sefyll. Erbyn hanner amser roedden nhw wedi sgorio tri chais ac roedd Anwen wedi mynd i Ysbyty Treforys yn sgrechian mwrdwr. Pan ddaeth hi'n ôl, roedd ei braich hi mewn plastar; roedd hi wedi torri ei garddwn.

"Ges i uffar o row gan y blydi doctor am chwarae gêm mor wirion, ond pan ddaeth 'na ddyn i mewn – un o chwaraewyr Vardre – wedi brifo'i ben-glin, roedd o'n ffysian drosto fo fel hen nain!" Doedd hi ddim yn hapus o gwbwl.

Go brin y byddai gofalwr cae yr Uplands yn hapus chwaith ar ôl i gymaint ohonon ni addurno'r cae efo gweddill y *dhansaks* a'r *dupiazas*.

Ond mi wnaeth stumog wag les mawr i Menna, roedd hi'n chwarae'n wych yn ystod yr ail hanner, ac yn ysbrydoliaeth i ni gyd. Mi lwyddodd hi i sgorio un cais ei hun ar yr ochor dywyll o'r sgrym a thaflu pas wych i Nia, gafodd gais hawdd yn y gornel. Roedd petha'n poethi'n arw rŵan a genod Abertawe yn benderfynol o guro. Fflancar oedd eu capten nhw, ac erbyn deall, roedd hi'n chwarae i Gymru ers blynyddoedd. Hawdd gweld pam hefyd, roedd hi'n wych yn y chwarae rhydd, yn gyflym a chryf ac yn rhoi hunllef i Carys druan oedd ar ei chefn ar lawr y rhan fwyaf o'r amser, wedi ei llorio yn gwbl ddiseremoni gan y *'flanker from hell'* fel y'i gelwid hi gan y cefnogwyr.

Roedd y sgryms yn rhyfeddol a chysidro pwy oedd ein prop pen tyn ni. Roedd y greadures yn rhoi pob dim i mewn i'r sgrym ac wedyn fel brechdan wlyb yn y chwarae rhydd. Ro'n i ar fin sgrechian arni fwy nag unwaith ond yn llwyddo i frathu 'nhafod mewn pryd. Taswn i wedi gweiddi arni, dwi'n gwybod yn iawn y byddai hi wedi beichio crio yn y fan a'r lle. Ond roedd 'na beth coblyn o weiddi yn mynd ymlaen ymhobman, yn enwedig rhwng Carys a Menna. Doedd petha ddim yn dda o gwbl yn fan'na, ac er bod Menna yn pasio'n wych i Carys dro ar ôl tro, doedd Carys jyst methu dal. Os oedd hi'n digwydd llwyddo i ddal y bêl, roedd hi'n gwneud smonach llwyr o betha wedyn a Menna yn mynd yn benwan. Doedd Dafydd ddim yn rhy hapus chwaith. Y sgôr derfynol oedd 23 iddyn nhw a 10 i ni. Roedden nhw'n haeddu ennill, ond tasa Gwenan ac Anna wedi bod efo ni, a tasa ni heb fynd mor wirion o dros ben llestri neithiwr, mi fydden ni wedi gallu eu curo nhw.

Roedd y cecru yn dal yn ei anterth yn y gawod a Menna jyst methu cau ei cheg.

"Fedri di'm gwadu nad oeddat ti'n chwarae fel hwch, Carys!"

"Ges i *off day*, reit! A dim ond un hwch wela i..."

"Paid ti â 'ngalw i'n hwch..."

"Mi alwa i chdi be licia i, yr hwran."

"BE?"

"Dros y boi 'na fel slywen neithiwr, roeddat ti'n disgysting."

"O leia dwi'n gwbod sut i blesio dyn!"

"Be ti'n drio'i ddeud, y?"

"Gofynna i Dafydd!"

Roedd y peth yn chwerthinllyd, y ddwy yn noethlymun yn y gawod, shampŵ yn byblo i bobman a'r llawr yn rhy lithrig i feddwl am ymladd ond dyna wnaethon nhw. Roedd o fel rhywbeth allan o ffilm afiach: cnawd pinc, gwlyb, sebonllyd yn erbyn y wal ac ewinedd yn chwyrlio. Disgynnodd y ddwy ar lawr a dechrau reslo o ddifri. Roedd trio'u gwahanu nhw bron yn amhosib – doedden ni gyd yn wlyb ac yn llithro i bobman? Ac roedd hi'n uffernol o embarasing trio dod o hyd i ddarn addas o gnawd i gael gafael iawn ynddyn nhw.

Yn y diwedd, mi lwyddon ni rywsut ac eisteddodd pawb ar lawr y gawod wedi llwyr ymlâdd. Doedd yr ogla sebon ddim yn gweddu o gwbwl i'r fath ffeit ddi-urddas. Roedd wynebau y ddwy yn sgriffiadau i gyd ar ôl yr holl grafangu, ac roedd trwyn Menna yn gwaedu fel mochyn. Ar wahân i'r sŵn dŵr a'r tuchan am anadl, roedd pobman yn annifyr o dawel.

Un o genod Uplands dorrodd y tawelwch. Cododd ei photel shampŵ oedd wedi cael cic i ben draw y gawod yn ystod y gyflafan a gwenu'n ddireidus.

*"You could have borrowed mine you know..."*

Ar ôl eiliad o dawelwch, dechreuodd pawb chwerthin, pawb ond Carys.

Tra oedden ni'n sglaffio'r sglodion a'r bîffbyrgars, roedd Dafydd a Carys yn cega y tu allan. O be welwn i drwy'r ffenest, roedd Dafydd yn protestio a Carys yn crio. Rois i edrychiad hyll i Menna oedd yn bwyta'i chinio fel tasa 'na'm byd wedi digwydd.

"Be sy'n bod arnat ti, y? Roedd hynna mor dan din."

"Roedd o'n mynd i orffen efo hi eniwe." Roedd yr ast fach yn gwenu!

Roedd y siwrne adre yn un dawel iawn, bron pawb yn cysgu, ar wahân i Anwen druan oedd mewn gormod o boen ac yn methu'n lân â gwneud ei hun yn gyfforddus efo'i phlastar. Eisteddai Dafydd efo Emyr ac roedd Carys ar ei phen ei hun wedi cyrlio ar y sedd yn cogio ei bod yn cysgu. Mi dries i siarad efo hi ond doedd hi'm am siarad efo neb.

* * *

Welson ni mohoni yn yr ymarfer nos Lun, a nos Fawrth ges i alwad ffôn ganddi. Roedd hi am adael y clwb.

"Ond Carys, fedri di'm jyst rhoi'r cwbwl i fyny fel'na, siŵr."

"Fydda i ddim. Mae genod y Brifysgol wedi deud bod 'na groeso i mi, a dwi'n trio cael *transfer* gwaith yn ôl i Fangor beth bynnag. Mae 'na hogan yno yn gadael i gael babi."

"Ond be amdanon ni?"

"Sori Llinos, mi fydda i'n eich colli chi'n uffernol, ond dwi byth isio gweld Dafydd na Menna eto tra bydda i byw. Fedra i jyst ddim 'i 'neud o. Ti'n dallt, yndwyt?"

"Wel ydw, ond..."

"Ro'n i wir yn ei garu o 'sti. O'n i'n meddwl mai fo oedd y dyn perffaith 'na 'dan ni gyd yn disgwyl ei gyfarfod rywbryd. Y dyn ro'n i'n breuddwydio amdano fo bob nos bron ers i mi ddarllen *Cinderella* gynta rioed... Aethon ni i weld *Sleepless in Seattle* efo'n gilydd. Y bastad."

"Carys –"

"Dwi'n gorfod mynd rŵan. Diolch i ti am bob dim Llin, wela i di, ocê?"

Ac mi roddodd y ffôn i lawr. Roedd ei llais hi wedi dechra crynu ac ro'n i'n gwybod yn iawn ei bod hi'n beichio crio eto.

# Pennod 12

AR ÔL CYFNOD parchus o wythnos o beidio â bod yn gyhoeddus, mi ddechreuodd Dafydd a Menna ganlyn yn agored. Yn ffodus i bawb, roedd Carys wedi llwyddo i gael ei hadleoli'n sydyn ac felly roedd hi'n ddigon diogel. Mi fuon ni'n deud petha digon miniog wrth y ddau ar y dechra, a thafod Beryl, yn enwedig, fel nodwydd wedi'i hogi; ond mae'n rhyfedd fel mae rhywun yn dod i arfer, yntydi? Cyn pen dim, daeth gweld y ddau yn llyfu ei gilydd yn y *Crown* yn rhywbeth reit normal. Ond ro'n i'n colli cwmni Carys yn ofnadwy. A do'n i ddim yn pasa maddau i Menna yn rhy sydyn 'chwaith.

Symudodd Nia i safle Carys wedi i ni weld ei bod hi'n gallu cicio cystal â hi, os nad gwell. Ar ôl hanner dwsin o gemau, roedd hi'n wych. Roedden ni'n ennill gemau yn weddol rheolaidd ac yn codi'n uwch yn y gynghrair, ac yn dal i fod yn y gwpan. Mi ddechreuodd Gwenan chwarae eto, er nad oedd hi byth yn teithio i gemau pellach nag Aberystwyth, ac roedden ni hyd yn oed wedi llwyddo i berswadio Anna i chwarae ambell gêm – roedd hi'n cael stormar bob tro. Mae hi'n un o'r bobol 'ma sydd wedi cael eu geni yn cystadlu, yn mynnu ennill bob uffar o bob dim, o'r ras wy ar lwy dan chwech oed i'r canu ac adrodd yn Steddfod yr Urdd, ac yn beichio crio os ydyn nhw ddim ond yn dod yn ail; wedyn mae'r un patrwm yn ailadrodd ei hun efo'u plant nhw. Os oedd Anna'n llyncu mul pan oedd hi'n blentyn, mae hi'n llyncu eliffant os nad ydi ei phlant hi'n ennill.

Dwi'n tueddu i chwarae er mwyn chwarae, ond fedar Anna ddim ond chwarae i ennill, sy'n beth da mae'n siŵr. Ac o ferch ferchetaidd oedd yn cwyno bod rygbi ddim yn gêm addas i ferched, yr argol, mae hi'n gallu bod yn fudur weithia. Os ydi eu canolwraig nhw yn llwyddo i'w phasio hi, mae hi'n mynd yn wallgo jibadêrs, ac yn gofalu ei bod hi'n ei llorio hi y tro nesa. Mi fydd hi hefyd yn rhoi cic slei a milain iddi tra mae hi'n dal ar lawr pan fydd y reff yn sbio'r ffordd arall. Mae'r genod wedi dechra ei galw hi'n Jekyll, ac mae hi wrth ei bodd. Mae hi wedi ffitio i mewn efo ni yn well nag o'n i'n ddisgwyl hefyd, ac yn fêts mawr efo Heather a Nia. Mae gan y tair ohonyn nhw dipyn mwy yn gyffredin na'r gweddill ohonon ni – maen nhw'n darllen llyfrau Cymraeg ac yn gwrando ar *Radio Cymru* a ryw sioe fel'na.

Ddiwedd Ionawr, ar ôl dychryn pawb – a ni'n hunain – drwy lwyddo i fynd drwodd i wyth olaf y cwpan, gawson ni'n gwahodd i gymryd rhan yn nhreialon Tîm Gogledd Cymru. Ges i ffit pan ges i 'newis, ond jyst crafu drwodd oherwydd fy nhaldra wnes i dwi'n meddwl. Roedd Nia, Heather, Beryl, Awel a Menna wedi cael eu dewis hefyd. Roedden ni fod i chwarae yn erbyn tîm o'r de wedyn, ond roedd o'n cael ei ohirio o hyd, un ai am ei bod hi'n eira yma neu am eu bod nhw methu dod am wahanol resymau. Ofn yr A470 dwi'm yn amau! Mae unrhywle sy'n bellach i'r gogledd na Merthyr yn dir diarth i hwntws, yntydi?

Doedd 'na'r un gair am ganlyniadau y treialon yn unrhyw un o'r papurau. Er bod y papurau newydd lleol wedi rhoi cryn dipyn o sylw i ni ar y dechra efo llwythi o luniau ac erthyglau efo penawdau nawddoglyd fel *'Mascara In The Mauls'* a *'Women Wear Out Studs'*, doedden nhw byth yn cyhoeddi'r adroddiadau fyddai Beryl yn eu gyrru atyn nhw, bellach. Roedden nhw'n honni nad oedd gan bobl ddiddordeb. Erbyn meddwl, anaml fydden nhw'n cyhoeddi canlyniadau hoci a phêl-rwyd hefyd.

Yn y cyfamser, mi gafodd Beryl y syniad gwych o fynd i Iwerddon am Y Gêm a chwarae yn erbyn tîm o genod lleol ar y dydd Sul; bron cyn i ni orffen trafod y peth roedd hi wedi trefnu'r cwbwl, wedi bwcio'r gwch a'r hostel ieuenctid a phob dim. Roedd hyn yn grêt i'r genod sengl wrth gwrs, ond yn fater gwahanol i ni'r genod sy'n sownd i'r sinc a'r swnian. Trip yr hogia i Iwerddon sy'n cadw Wayne yn hapus am ddwy flynedd. Aeth o'n boncyrs.

"Dim uffar o beryg! Yli, dwi'n foi rhesymol, yntydw? Dwi wedi gadael i chdi 'neud be lici di erioed, yndo? Ond ti'n mynd yn rhy bell rŵan. Disgwyl i mi aros adre i warchod y plant tra ti'n 'i morio hi yn *O'Donoghues*! No blydi wê. A be fysa'r hogia'n 'i ddeud, y? Dwi'n cael digon o stic fel mae hi, a dwi'n ei gymryd o'n iawn, ond mae hyn yn *too much*, hogan. Ti wedi mynd yn rîal hen gnawes hunanol. Ti isio dy gacen i gyd i chdi dy hun efo tunelli o hufen drosti, 'dwyt? Wel cer i ganu. Ti'm yn mynd, a dyna ddiwedd arni. Dwi'n mynd i'r *Crown* a dwi'n mynd i feddwi'n dwll."

Ac i ffwrdd â fo gan glepian y drws ar ei ôl mor galed mi ddisgynnodd yr ornament gawson ni'n bresant priodas gan Anti Gwen oddi ar y silff uwchben a thorri yn ei hanner. Mi wnes i gysidro gofyn i Mam warchod am y penwythnos, ond ro'n i'n gwybod y bysa Wayne yn chwythu'i dop yn rhacs, felly wnes i'm meiddio. Doedd y plant ddim isio mynd i'r capel efo Nain eto, beth bynnag. Roedd y genod eraill yn flin drosta i a wyneb Gwenan yn bictiwr o 'Ddeudis i yndo?'. Ond mae ganddon ni ddigon o sgwad rŵan, felly mi gafodd Rhiannon Ty'n-cae fod yn wythwraig yn fy lle i.

Mi yfais i botel cyfan o win tra'n gwylio'r gêm ar y bocs, a rywsut ro'n i'n falch ein bod ni wedi colli unwaith eto. Wedyn mi yfais i un arall fin nos nes ro'n i'n teimlo'n sâl drwy'r dydd Sul ac mi gogiais i 'mod i'n cysgu pan faglodd Wayne i mewn i'r gwely yn ystod oriau mân fore Llun. Roedd o'n giglan fel hogyn chwech oed ac yn drewi o *Guinness* a chwd. Mi roddodd gynnig bathetig ar drio tylino 'nghnawd i am funud neu ddwy a mwydro canu rwbath fel, *"She wheeled a wheelbarrow..."* cyn dechra chwyrnu fel arth efo asthma. Doedd gen i ddim llwchyn o ddiddordeb yn ei hanesion o am y penwythnos, ond ro'n i jyst â drysu isio gweld y genod.

Toc ar ôl cinio, mi ddaeth Beryl a Menna draw, gan fod y ddwy wedi bod yn ddigon doeth i drefnu eu bod nhw'n cael diwrnod o wyliau. Roedd 'na olwg blinedig ar y ddwy, a phrin oedd gan Beryl lais ar ôl. Disgynnodd y ddwy ar y soffa ac es inna i roi'r tecell ymlaen.

"Wel? Dowch 'laen 'ta. Torrwch 'y nghalon i efo'ch profiadau bythgofiadwy chi..." medda fi.

"Sori, 'rhen goes," gwichiodd Beryl. "Ond roedd o'n hollol briliant." Pesychodd. "Daria, dwi'n cael anwyd."

"Penwythnos gora 'mywyd i," ategodd Menna efo gwên oedd yn gofyn am slap.

"Ella bod Cymru wedi colli, ond ennill ddaru ni, 15-10," medda Menna. "Duw â wyr sut, doedd ein hanner ni heb sobri ers nos Sadwrn – naci, sori, bore Sul."

Ges i hanes y clwb nôs, y crac efo hogia o Blaenau, Tracy yn diflannu efo gof o Galway, Siân Caerberllan yn colli ei phwrs a'i sgidiau ar ôl trio gwneud gymnastics ar risiau dihangfa dân *O'Donoghues*, Awel yn dawnsio'n feiddgar tu hwnt i *'Sex Machine'* James Brown efo Gwyddel efo llygaid fel Mel Gibson, Nia o bawb yn cael ei hel allan o *Jurys* am ddechra ffeit yn y lle chwech, Menna a Dafydd yn ail-greu yr olygfa honno o *When Harry met Sally* yn *Pastificio* a'r lle'n orlawn – er nad ffug mo perfformiad Menna; Siân Caerberllan yn colli'r fferi oherwydd ei bod hi'n chwilio am ei chôt, oedd yn ei bag hi wedi'r cwbwl, a gorfod dal y *Sea Lynx* a chyrraedd Caergybi o'u blaenau nhw yn y diwedd, a hanes Beryl efo Emyr.

"Emyr?" medda fi.

"Ia, Emyr ni, Emyr Bws Mini," giglodd Menna. Roedd Beryl yn binc.

"Aru ni glicio dros y *risotto* yn *Pastificio*."

"A paid â gofyn be ddigwyddodd efo'r *crostini* a'r *tortellini*!" tagodd Menna.

"Be, ti 'di mopio efo fo?"

"Dros fy mhen a 'nghlustia cofia, dyna pam mae gen i anwyd, beryg. Mi fuon ni'n syllu i lygaid ein gilydd tu allan ar y dec yr holl ffordd nôl ar y fferi. Wnes i'm sylweddoli ei bod hi mor oer, naddo?"

*"Body heat,"* medda Menna.

"Be? O Beryl! Wnes ti ddim!"

"Naddo, roedd hi'n rhy oer. Ond gafon ni uffar o hwyl yn trio. Roedd y *chemistry* yn anhygoel 'sti. Mae o wedi fy ffansio i ers y dechra, medda fo, 'ngwas bach del i!"

"Dwi'm yn coelio hyn. Ti ac Emyr? Wyt ti'n mynd i'w weld o eto?"

"Dyna ddeudodd o bore 'ma."

"Bore 'ma?"

Roedd Beryl yn wên o glust i glust.

"Ddaeth o'n ôl i'r fflat, yndo? Ro'n i isio i Menna ddallt pa mor dena ydi'r walia acw."

"Ac mi glywais i o'n deud ar ei chanol hi ei fod o'n ei charu hi, ond plîs gai o gysgu rŵan!" sgrechiodd Menna a chwerthin nes oedd ei choffi hi'n tasgu i bobman.

Doedd 'na fawr o siâp ar neb yn yr ymarfer y noson honno, ac roedd Emyr a Beryl yn cael amser caled gan bawb. Ond roedd hi'n amlwg fod y ddau wedi gwirioni efo'i gilydd, ac o hynny 'mlaen prin fyddai neb yn eu gweld nhw ar wahân. Roedd Emyr yn gariad o foi ac yn ei thrin hi fel brenhines. Roedd o hyd yn oed yn gafael yn ei llaw hi o flaen yr hogia.

* * *

O'r diwedd, ar bnawn Sul oer o Chwefror, daeth yr hwntws i fyny i chwarae yn erbyn Tîm Gogledd Cymru. Aru ni golli'n rhacs wrth gwrs, ond roedd eu hyfforddwr nhw wedi bod yn gwylio'n ofalus ac mi ofynnodd i Nia, Heather a Beryl ymuno â Sgwad Datblygu Cymru, sef y peth agosa at Sgwad Cymru. Roedd y dair wedi cynhyrfu'n lân wrth reswm – Beryl yn fwy na neb. Roedd hi'n neidio o gwmpas y lle yn gwneud sŵn nid anhebyg i Wylliaid Cochion ar sbîd. Roedd gan Heather fymryn mwy o urddas, a gwenu'n swil oedd Nia. Doedd Awel a minna ddim yn rhy siomedig ei fod o heb ofyn i ni – wel, nid yn ormodol 'ta; wel, ocê, roedd o'n gnoc i'n ego's ni, oedd, ond mi fysa wedi bod yn gymaint o boen efo'r plant a'r gwŷr a phob dim, ond roedd Menna yn amlwg wedi'i siomi go iawn. Roedd ei llygaid hi'n goch tra oedd hi'n llongyfarch y lleill, ac wedyn aeth hi i'w phlu yng nghornel y bar. Roedd Dafydd yn rhy brysur yn cofleidio'r dair arall i sylwi.

"Llongyfarchiadau ferched, wi mor falch ohonoch chi. A wi'n dod 'da chi bob tro chi'n 'ware, wi'n gweud 'tho chi nawr!"

"Finna 'fyd, ôl ddy wê!" Gwenodd Emyr, a rhoi sws i Beryl ar ei boch. Doeddwn i heb sylweddoli tan hynna fod Beryl wedi colli cymaint o bwysa – roedd hi'n edrych yn wirioneddol dlws. Od be mae bod mewn cariad yn ei wneud i rywun, yntydi?

Mi fu raid i Beryl roi hergwd i Dafydd cyn iddo fo sylwi ar Menna yn y gornel yn pigo ei *split ends*.

Ar ôl rhowlio ei lygaid at y nenfwd ac anadlu'n ddwfn, mi aeth ati. Roedd ei cheg hi'n union fel pig Donald Duck, y greadures. Mi wnes i 'ngore i beidio sbio, ond roedd hi mor anodd peidio, ac o be welais i, mi faswn i'n deud nad ydi cysuro rhywun yn un o gryfderau Dafydd. Roedd o'n amlwg yn anghyfforddus efo'r sefyllfa ac yn deud a gwneud y petha anghywir. Jyst isio sylw a mwytha a chanmoliaeth oedd Menna druan ac mi ddechreuodd grio ar ei ysgwydd o. Rhoddodd ei freichiau amdani wedyn a throi i'n cyfeiriad ni gan godi ei aeliau. Edrychodd Beryl a minna ar ein gilydd, ond ddeudodd neb 'run gair.

Roedden nhw'n gorfod mynd i Abertawe i ymarfer efo'r sgwad yr wythnos ganlynol, ond doedden ni heb drefnu gêm y penwythnos hwnnw, digwydd bod. Aeth y dair i lawr efo Emyr, ac aeth Dafydd hefyd yn ei gar ynta – cyfle iddo fo fynd i weld ei rieni am y tro cynta ers Dolig, medda fo, a chael cinio dydd Sul ei fam. Chafodd Menna ddim gwahoddiad i fynd efo fo ac roedd hi'n reit big.

Roedd hi'n braf cael penwythnos rhydd eto, felly es i â'r plant i weld Nain a Taid a'r ŵyn bach ar y dydd Sadwrn. Gawson ni ddiwrnod bach neis hefyd, er bod Nain yn mynnu 'mod i wedi mynd yn rhy denau ac yn hwrjo cacennau arnaf i bob pum munud, ac er i Eilir gerdded i mewn i'r afon dros ei welintons. Ac mi fynnodd Mali ei bod hi'n lysieuwraig o hyn allan ar ôl gwirioni'i phen efo'r oen llywaeth, a gwrthod bwyta'r tafelli tewion o gig oen oedd i ginio. Doedd Taid ddim yn hapus o gwbwl ynglŷn â hynna ac yn chwyrnu rwbath am ysgolion a'r cyfryngau yn stwffio syniadau i bennau plant ifanc. Lwcus bod Eilir wedi gofyn am siâr Mali.

Bu Wayne yn chwarae adre mewn gêm gwpan ac mi gafon nhw eu curo'n rhacs gan drydydd tîm Bethesda, 56-0. Pan godais i fore Sul, mi ffeindies i o'n rhochian ar y soffa efo can o lager wedi tywallt dros y carped a gweddillion *pizza* dros bob man. Es i'n wallgo efo fo ac mi gawson ni goblyn o ffrae. Felly mi drefnais i i fynd i'r *Crown* efo Anna y noson honno, digon pell o'i olwg o.

Roedd Anna yno'n barod pan gyrhaeddais i, a Menna a Nia hefyd. Golwg digon digalon oedd ar Menna ond roedd Anna a Nia yn g'lana' chwerthin ar ben ryw jôc neu 'i gilydd pan gerddais i atyn nhw efo jin a thonic mawr.

"Helô genod, be sy mor ddigri?" medda fi. "Ailadrodd un o jôcs Dylan, m'wn..." Bod yn sarcastig o'n i, dwi'n cyfadde: mae gan y Crynwyr fwy o synnwyr digrifwch na sydd gan Dylan, ond do'n i'm wedi disgwyl yr hysterics ges i gan y ddwy chwaith. Sbies i ar Menna. Codi'i hysgwyddau wnaeth hi.

"Paid â gofyn i mi, maen nhw wedi bod yn giglan fel'na ers i mi gyrraedd."

"O, a dwyt ti'm yn teimlo fel chwerthin decini?"
"Ddim felly, nac'dw."
"Methu gneud heb Mr.Perffaith am eiliad, nagwyt?"
"O, ha blydi ha! Cur pen sy gen i."
"Os ti'n deud, Menna."
"Ond na, chwarae teg, 'sa fo wedi gallu 'ngwa'dd i i weld ei rieni fo yn basa?"
"Braidd yn gynnar ella?"
"Ti'n trio awgrymu 'i fod o'm yn siŵr ohona i?"
"Nac'dw, ond chwarae teg, dim ond newydd orffen efo Carys mae o, ynde?"
*"So?"*
Mwya mae rhywun yn mopio, mwya dall ydi rhywun ynde? Wnes i'm trafferthu i ddal ati, dim ond troi at Anna a Nia oedd yn piso chwerthin unwaith eto.
" 'Dach chi'ch dwy mewn hwylia uffernol o dda, yntydach? Rhowch rywfaint i Miss Morose fan hyn 'newch chi?"
"Be sa'n ti Menna? Diffyg dyn 'ta dyn diffygiol?" Gwenodd Anna. "Paid â gadael iddyn nhw dy gael di lawr, tydyn nhw'm werth o 'sti. Dim byd ond blydi trafferth."
Mi godais i fy aeliau. Dylan Perffaith yn drafferth? Wel, wel.
"Amen," cytunodd Nia. "Glywais i rywbryd fod priodi dyn fel edmygu rwbath am hir mewn ffenest siop – ella dy fod ti'n dal i'w licio fo pan ti'n mynd a fo adre, ond tydi o'm wastad yn mynd efo popeth arall."
"Ia," chwarddodd Anna, "ac os ydi hogan heb gyfarfod y dyn iawn erbyn ei bod hi'n ddeg ar hugain, mae hi'n lwcus!"
Roedden ni'n tair yn gweld y peth reit ddigri, ond doedd 'na'm mymryn o wên ar wyneb Menna.

"Mae'n iawn i chi'ch dwy," medda hi gan edrych arnaf i ac Anna, " 'dach chi wedi bod drwy'r cwbwl, 'dach chi wedi llwyddo i gael gŵr a phlant, a 'dach chi'n dal efo nhw, felly jyst sioe dros beint ydi cogio eich bod chi ddim yn eu caru nhw, ynde? Malu cachu 'dach chi, dwi'n gwbod yn iawn nad ydach chi'n difaru priodi a chael y plant 'na. Ella eich bod chi fymryn yn *bored*, ond dyna'r cwbwl ydi o, ynde? Wel, dwi wedi cael llond bol o dwyllo fy hun a phawb arall 'mod i'n hapus yn hogan sengl. Tydw i ddim. Dwi isio setlo, dwi isio gallu llenwi llond troli efo bwyd i ddau, dwi isio gallu aros mewn ar nos Sadwrn i wylio fideo heb deimlo 'mod i'n colli rwbath, dwi isio cael priodas fawr a chlywed Dad yn gneud *speech sentimental* amdana i a gweld Mam yn crio bwcedi, a dwi isio addo i fod yn ffyddlon i'r un dyn am weddill fy mywyd, a dwi isio babi, babi Dafydd. Dwi'n gwbod mai fo ydi'r dyn dwi wedi bod yn chwilio amdano fo erioed. A pheidiwch chi a chwerthin, dwi'n 'i feddwl o."

"O, *come off it* Menna," wfftiodd Nia, "dwyt ti prin yn 'nabod y boi !"

"Pan ti'n cyfarfod y dyn iawn, ti'n gwbod yn syth."

"Ddim bob amser," medda Anna. "Y tro cynta i mi gyfarfod Dylan, do'n i'n gweld dim byd ynddo fo. Tyfu arna i 'naeth o rywsut. Dwi'm yn cofio sut na pham rŵan. A phan briodon ni, do'n i dal ddim yn siŵr os o'n i'n gneud y peth iawn. Ro'n i jyst â chrio drwy'r gwasanaeth, dwi'n cofio."

"Wnest ti'r peth iawn?" holodd Nia yn dawel.

Oedodd am funud cyn ateb: "Dwi'm yn siŵr."

Roedd Menna yn colli amynedd. "Ti o bawb, ti sy efo'r tŷ mawr crand, y car mwy fyth, y gŵr smart, peniog, a phlant perffaith? Paid â malu! Wrth gwrs dy fod ti wedi gneud y peth iawn! Rhai fel Beryl a Nia a fi sy wedi bod yn mwydro dy ben di efo'r holl 'hwyl' 'ma 'dan ni'n 'i gael. Con ydi o i gyd! 'Dan ni i gyd isio bod fatha chdi! Ty'd, bydda'n onest efo dy hun, Nia, dwi'n deud y gwir, yntydw? Faint wyt ti rŵan? Dau ddeg naw, ia? Betia i rwbath fod dy *biological cloc* ditha yn mynd fel y diawl."

"Nac'di o," medda Nia. "Tydi dau ddeg naw ddim yn hen siŵr dduw! Ella dy fod ti'n meddwl dy fod ti'n barod i ori, ond dwi'n deud wrthat ti yn berffaith onest, dwi'm yn pasa priodi am flynyddoedd, os o gwbwl. Dwi'n mwynhau fy ngwaith, mae gen i ffrindia da a dwi'n berffaith hapus efo 'mywyd i fel mae o ar hyn o bryd. Ydw, dwi'n byw bywyd reit unig mewn ffordd, efo cath mewn tŷ bach teras fel bocs matsys a bysa, mi fysa'n neis cael partnar sefydlog ryw ddydd, ond mi fydd hynny'n digwydd pan fydd o'n digwydd a dim cynt. Tydi dyn jyst ddim yn ffitio i mewn i 'mywyd i ar hyn o bryd. Dim ond newydd gael dy ben blwydd yn dri deg un wyt ti beth bynnag, ynde? Be 'di'r brys?"

"Gwranda, Menna," medda fi ar ei thraws hi, "ti'n llygad dy le yn deud 'mod i'm yn difaru cael y plant 'na, ac wrth gwrs 'mod i'n dal i garu Wayne – er nad ydi petha'n hynci dôri bob amser – ond taswn i'n cael fy mywyd unwaith eto, 'swn i'n gneud petha yn hollol wahanol. 'Swn i'n mynd i goleg, teithio rownd y byd, byw i mi fy hun a wedyn priodi Wayne, pan o'n i tua deg ar hugain."

"A be sy'n gneud i ti feddwl y bysa fo'n fodlon disgwyl amdanat ti?"

"Os oedd o wirioneddol yn fy ngharu i..."

"Ty'd 'laen, Llin! Breuddwyd blydi ffŵl, ti'n gwbod yn iawn fod petha ddim yn gweithio fel'na. Llwyth o rybish ydi *'absence makes the heart grow fonder'* – *'absence makes the heart forget'* ydi'r gwir, ynde? Ac mi fysa 'na hogan arall oedd yn ysu i gael ei fabis o wedi cael ei bacha' ynddo fo tra oeddat ti'n Tibet neu rywle!"

Roedden ni'n tair yn dawel.

"Mae ganddi bwynt 'sti," medda Anna, ar ôl meddwl am 'chydig.

Oedd.

Pan es i adre roedd Wayne yn golchi'r llestri, rhywbeth nad ydi o wedi'i wneud ers i mi ddod o'r ysbyty pan oedd Eilir yn fabi.

"Argol, mae 'na ffasiwn beth â gwyrthiau felly?" medda fi. Do'n i ddim yn sobor.

"O'n i'n gwbod na fysat ti'n eu gneud nhw heno, ac os 'di'r plant isio cornfflêcs mewn powlenni glân bore fory, doedd gen i fawr o ddewis, nagoedd?" medda fo heb sbio arnaf i, a sgwrio sosban nes oedd y *brillo* bron â chwalu rhwng ei fysedd o.

"Bydda fel'na 'ta. Dwi'n mynd i faeddu cwpan, ti'n meindio?"

"Gwna di be lici di, fel arfer."

"Be? Dwi'm hyd yn oed yn cael gneud paned i fi'n hun rŵan?"

"Ti sy'n bwysig 'de? 'Di o'm bwys am neb arall nac'di?"

"Sori, ti isio paned hefyd?" medda fi'n sarcastig. Ro'n i'n sbio ar ei gefn o, ac ynta yn sbio ar y ffenest o'i flaen. Roedd 'na gannoedd o gyllyll yn ei gefn o ac roedd 'na rew ar y ffenest.

"O'n i 'di anghofio pa mor hyll wyt ti pan ti'n hunanol." Roedd y sosban yn berffaith lân ond roedd o'n dal i sgwrio.

"Hyll? O, neis. Diolch. A sut fedri di ddeud 'mod i'n hyll a chditha heb sbio arna i?"

Trodd yn araf i fy wynebu i a'r sosban a'r *brillo* yn dal yn ei ddwylo.

"Hyll o ran natur, Llinos, ond erbyn gweld, mae 'na siâp uffernol o hyll ar dy geg di ar hyn o bryd, ac mae dy ffroena di fel trwyn mochyn." A throdd yn ôl at y sinc.

"Geiriau aeddfed iawn, Wayne. Mae dy wraig di'n mynd allan am beint felly ti'n deud ei bod hi'n edrych fel mochyn. Llongyfarchiadau. Clyfar iawn."

Ond ro'n i'n ymwybodol fod fy ffroenau i yn llydan agored, ac ro'n i'n gwneud fy ngore i'w rheoli nhw, ond ro'n i mor ddiawchedig o flin. Roedd o'n ddistaw am chydig, ond ro'n i'n gallu gweld y gwylltineb yn cronni yn ei gefn o. Trodd eto, yn gyflymach y tro yma.

"Dyro'r gora' iddi."

"Gora' i be?"

"Iesu, ti'n meddwl dy fod ti mor blydi *superior* dwyt?"

"O, paid â bod mor *obnoxious* 'nei di?"

"*Obnoxious*?! Ac ers pryd wyt ti'n iwsio geiria mawr fel'na, y? Ers i ti fod yn gneud mwy efo blydi doctors ac athrawon nag efo dy deulu, ynde!"

"Callia, wir dduw, wyt ti'n sylweddoli pa mor pathetig ti'n swnio?"

"O, jyst cau dy geg." Roedd ei lygaid o'n hyll o dywyll. Ond ro'n inna wedi gwylltio o ddifri a'r jin wedi iro gormod ar fy nhafod i.

"Pam ddylwn i? Pwy ddiawl wyt ti i ddeud wrtha i i gau 'ngheg?"

Lluchiodd y sosban i ben draw'r gegin a gafael yn fy ysgwyddau i a f'ysgwyd i nes ro'n i'n sgrechian mewn poen. Roedden ni'n gweiddi ar ein gilydd ac ro'n i'n trio'i gicio fo ac ynta'n claddu ei fysedd i 'nghnawd i yn waeth efo pob gwaedd. Roedd ei lygaid o'n berwi'n ddu a'i boer yn tasgu drostaf i.

"Peidiwch! Plîs peidiwch!" medda llais o'r tu ôl i ni. Roedd Mali yn sefyll yno yn ei choban a'r dagrau yn powlio. Gollyngodd Wayne fi'n syth ac es inna ati. Ond roedd hi'n beichio crio erbyn hyn a fedrwn i yn fy myw a'i stopio hi. Mi dries i ei chofleidio hi, ond roedd hi'n fy ngwthio i ffwrdd. Rhedodd i fyny'r staer a chau ei hun yn ei llofft. Es i'n ôl at Wayne, oedd heb symud modfedd, fel tasa fo wedi rhewi. Mi edrychodd arnaf i am eiliad heb ddeud gair ac yna gwthiodd heibio i mi i ddringo'r staer a chau drws y llofft yn glep. Fues i'n sefyll yno am hir, yn crynu, a'r cwbwl fedrwn i ei glywed oedd tician y cloc ac igian Mali o bellter. Es i ati yn y diwedd a rhoi 'mreichiau amdani. Ro'n i wedi pasa mynd at Wayne, ond mae'n rhaid 'mod i wedi cwympo i gysgu.

Pan ddeffres i, roedd Wayne wedi mynd, a'r plant yn hwyr i'r ysgol. Dwi'n meddwl i mi lwyddo i ddarbwyllo Mali fod popeth yn iawn rhwng Mam a Dad, mai jyst ffrae fach wirion oedd hi, ac aeth y ddau i'r ysgol yn weddol hapus. Pan gyrhaeddais i'n ôl i'r tŷ, es i'n syth i'r stafell molchi a thynnu fy nghrys. Roedd fy mreichiau i'n gleisiau byw. Gan 'mod i wedi caledu cymaint wrth chwarae rygbi, mae'n rhaid ei fod o wedi gafael ynof i yn anhygoel o gas. Ro'n i wedi teimlo'n reit euog ynglŷn â'r ffrae nes i mi weld y cleisiau. Wedi gwylltio ro'n i rŵan. Doedd ganddo fo ddim hawl i 'mrifo i fel'na, a sut ro'n i fod i egluro y fath olwg i'r genod ar ôl ymarfer?

Ar ôl hwfro pob modfedd o'r tŷ, sgwrio'r gegin a mynd trwy hanner dwsin o ffags a mygeidia o goffi, mi ffoniais i Anna i ofyn os cawn i ddod draw am sgwrs.

"Dwi'n rhoi'r tecell 'mlaen rŵan," medda hi.

Mae ei thŷ hi fel rywbeth allan o gylchgrawn tai

perffaith, dim golwg o faw yn unlle a wastad efo blodau ffres wedi'u gosod yn gelfydd mewn *vase* drud ar ganol bwrdd y gegin. Mae Dylan yn prynu bwnsiad iddi bob tro mae o'n prynu petrol, mae'n debyg.

"Stedda fan'na, yli," medda hi gan graffu arnaf i. "A' i i nôl blwch llwch."

"Dyna be di *ashtray* yn Gymraeg, ia? Wyddwn i rioed. Mae Dylan wedi dysgu lot i ti."

"Tydi o ddim yn ddrwg i gyd 'sti," medda hi efo gwên fach od. Roedd hi'n gwybod yn iawn be ro'n i'n ei feddwl ohono fo.

Daeth â dau fwg mawr o goffi go iawn at y bwrdd, gosod ei hun yn y gadair, estyn ffag i mi, cynnau ffag ei hunan a phwyso'n ôl i sbio arnaf i.

"Reit 'ta, be sy di digwydd?"

"Dwi'm yn gwbod lle i ddechra."

"Be am efo chdi a Wayne."

"Ydi o mor amlwg a hynna?"

"Ty'd 'laen, dwi'n dy 'nabod di ers blynyddoedd. Tydi petha ddim yn dda, nac'dyn?"

"Ddim o bell ffordd."

"Ers pryd?"

"Wel, dwi'm yn siŵr, ddim ers misoedd erbyn meddwl. Ond neithiwr, aeth petha'n wirioneddol hyll. Sbia." Ac mi rowliais lewys fy nghrys i fyny i ddangos iddi.

Llifodd y mwg yn araf o'i cheg hi.

"Y bastad."

"Dwi'm yn gwbod be i 'neud Anna."

"Wel, fedri di'm gadael iddo fo 'neud rwbath fel'na i chdi. Tasa Dylan yn meiddio gneud rywbeth fel'na i mi, mi fyswn i o'ma fel siot. Maen nhw fel cwn 'sti, unwaith maen nhw wedi cael blas ar waed fedran nhw'm stopio."

"Na, fysa Wayne byth yn 'y ngholbio fi go iawn."
"Be ti'n galw hynna 'ta?"
"Mi fues i'n hen ast efo fo."
"Be 'nest ti'n union? Fuest ti efo dyn arall?"
"Iesu, naddo!"
"Wel, be 'nest ti oedd mor uffernol 'ta?"
"Wel, bod yn sarcastic. O'n i 'di bod yn yfed toeddwn."
"Oeddat, ond doeddat ti'm yn chwil o bell ffordd."
"Digon i ddeud petha na ddylwn i fod wedi eu deud."
"Fel be?"
"Dwi'm yn cofio'n iawn rŵan... deud rwbath am y ffaith ei fod o'n golchi llestri i ddechra, dyna'r cwbwl. Wedyn, mi alwodd o fi'n hyll a hunanol a deud bod gen i drwyn fel mochyn, ac mi wnes i ei alw fo'n *obnoxious*; a wedyn aeth o'n wallgo." Roedd fy llais i'n dechra crynu.

Syllodd Anna arnaf i yn galed.

"Dwi'm yn coelio hyn. Ti'n deud wrtha i bod *World War Three* wedi dechra oherwydd ryw fymryn o lestri budron?"

"Wel... na... oedd o'n fwy na..."

Ond roedd Anna wedi dechra chwerthin, rhowlio chwerthin nes roedd y dagrau'n powlio. Ro'n i isio'i hitio hi am eiliad am fod mor ansensitif, nes i mi sylweddoli pa mor chwerthinllyd oedd o i gyd yn swnio. Fedrwn inna'm peidio chwerthin chwaith, a chrio ar yr un pryd. Mi redodd y gath allan drwy'r catfflap efo coblyn o glec. Mae'n rhaid ein bod ni'n gwneud y twrw rhyfedda.

Rhoddodd Anna ei braich amdanaf i a 'nghofleidio i nes roedd ei hysgwydd hi'n socian.

Ro'n i'n teimlo gymaint gwell pan es i adre, ac er bod Anna wedi dal i fynnu y dylwn i ei adael o, ro'n i'n gwybod na fydda gen i byth mo'r gyts. Mi benderfynais i alw heibio Beryl yn y swyddfa i gael hanes y penwythnos. Roedd

Emyr yno efo hi yn cael paned. Roedd eu llygaid nhw yn dal i sgleinio a'r ddau yn cyffwrdd dwylo ac yn gwenu ar ei gilydd dragwyddol yn y ffordd gyfoglyd 'na sy gan gariadon newydd.

Roedd y tair ohonynt wedi cael hwyl arni yn ymarfer efo'r hwntws, yn enwedig Nia, mae'n debyg, oedd yn rhy wylaidd i sôn am y peth neithiwr.

"Roedd hi'n wych 'sti Llin. 'Swn i'n synnu dim ei gweld hi'n chwarae i Gymru cyn bo hir."

"Oeddat titha'n wych hefyd, pwtan," medda Emyr.

"Diolch cariad," gwenodd Beryl.

Ro'n i isio chwerthin. Pwtan?

"Be am Heather?"

Gwenodd y ddau ar ei gilydd.

"O, mi gafodd hi uffar o amser da," medda Beryl yn awgrymog. "Aeth hi adre efo Dafydd ar ôl yr ymarfer, cyfle iddi hitha weld ei rhieni medda hi. Roedd hi am ddod yn ôl efo fo bore 'ma."

"Felly wir?"

"Felly wir."

"Paid â deud gair wrth Menna cofia, roedd hi'n ddigon o boen tin neithiwr."

"O, ddeuda i'm gair, paid â phoeni. Tydi hi byth yn syniad da mynd rhwng dau gariad nac'di? "

Es i i'r ymarfer y noson honno, ond es i ddim am gawod. Roedd y cleisiau yn dal yn amlwg. Nes ymlaen, yn y bar, mi fu Nia, sy'n arfer bod mor dawel, yn adrodd hanesion y penwythnos wrth griw o'r genod.

"Iesu, maen nhw'n anhygoel o ffit, a chaled was bach. Mae'u chwarter nhw'n chwiorydd neu gariadon i hogia sgwad Cymru, dim rhyfedd eu bod nhw'n dda. Mae 'na ambell un yn debycach i'r dynion na feddyliet ti hefyd."

Roedd ganddi wên fach ddrwg ar ei hwyneb.

"Be ti'n trio'i ddeud Nia?" holodd Menna.

"Wsti... maen nhw'n..."

"Lesbians?!" Roedd Siân Caerberllan yn gegrwth. "O na! Wir yr? O ych-a-pych, damia nhw!"

Roedd hi'n ddifyr gweld ymateb pawb. Menna a Beryl a'r genod iau yn gweld y peth yn ddigri, Gwenan a Siân yn ffieiddio atyn nhw, Anna yn twt-twtian a Heather yn flin.

" 'Ware teg nawr. Wi'n synnu atoch chi. Sdim byd pyrfyrted oboiti fe. Mae 'na rai pobl yn cael eu geni fel'na – fel 'na maen nhw. A finne'n credu bod cymdeithas wedi dysgu eu derbyn nhw bellach."

"Yn Abertawe a Chaerdydd ella, ond ddim fan hyn mêt," protestiodd Gwenan. "Ych, mae'n dy roi di reit off y gêm, yntydi?"

"O'n i 'di clywed bod 'na lot o genod hoyw yn chwarae rygbi, yn enwedig yn Lloegr mewn clybiau fel Wasps a Richmond ac ati," medda Awen.

"Ddim mwy na sy'n chwarae hoci neu dennis neu unrhyw gêm arall," protestiodd Beryl.

"Fuoch chi am gawod efo nhw?" holodd Siân a'i llygaid bron a neidio allan o'i phen.

"Do siŵr!" chwarddodd Beryl. "Mi 'naeth un sgwrio 'nghefn i imi. Ew, roedd hi'n dda hefyd."

"Beryl!" Roedd Siân druan wedi dychryn am ei henaid.

"Der mla'n Siân," medda Heather, yn dechra colli amynedd. "Wi'n ffili credu dy fod ti mor naïf. Maen nhw'n bobl hollol normal fel ti a fi."

"Dwi'm byd tebyg iddyn nhw!"

*"Methinks the lady doth protest too much...?"* holodd Beryl dan wenu'n angylaidd.

"Mi wyt ti'n swnio braidd yn paranoid, Siân..." gwenodd Menna am y tro cynta ers dyddia.

"Dwi ddim!"

"Sgen ti rwbath i'w ddeud wrthan ni, Siân?" Roedden nhw fel haid o frain yn pigo arni hi, a neb yn codi i'w hamddiffyn hi am ryw reswm. Tasa Dafydd heb gyrraedd yn sŵn i gyd, beryg y bysen ni wedi gwneud iddi grio.

"Ni wedi clywed le ni'n 'ware yn rownd gynderfynol y gwpan! Ni'n mynd i Richmond, ferched!"

# Pennod 13

FUON NI'N YMARFER o ddifri ar gyfer wynebu Richmond, ac roedd 'na griw ohonon ni yn loncian drwy'r dre ryw ben bob dydd, a waeth pryd yr awn i i'r gym, roedd o leia un o'r genod yno o 'mlaen i. Ro'n i wedi teneuo go iawn erbyn hyn ac yn teimlo'n ffantastic. Ar ôl blynyddoedd o straffaglu i newid dan dywel yn stafell newid y pwll nofio, ro'n i bellach yn berffaith hapus i gerdded o gwmpas y lle yn noethlymun gorn, er gwaetha'r *stretchmarks*. Mae corff iach yn rhoi yr hyder rhyfedda i rywun. Ond doedd Wayne ddim yn fy ngwerthfawrogi i o gwbl. Roedd o hyd yn oed yn cwyno.

"Ti'm yn mynd i dre fel'na," medda fo wrtha i un bore tra o'n i'n hel fy mhetha i fynd i negesa. Ro'n i'n gwisgo sgert weddol fer efo teits tew, du, pâr o *boots* ges i Dolig a phrin wedi'u gwisgo nhw, siwmper fach ddel oedd yn eitha tyn, oedd, ond doedd 'na'm byd o'i le arni – do'n i'm yn edrych yn *tarty* o gwbl.

Newydd brynu'r sgert o'n i ar ôl bod yn siopa efo Menna. Hi wnaeth fy mherswadio i'w thrio hi. Do'n i 'rioed wedi gwisgo sgert fer o'r blaen, a dim ond y ffaith fod Menna a'r hogan oedd yn cadw'r siop yn mynnu 'mod i'n edrych yn grêt ynddi wnaeth i mi ei phrynu hi. Ro'n i wedi treulio oes yn sbio arnaf fi'n hun yn y drych o bob cyfeiriad, ac mae'n rhaid i mi gyfadde ei bod hi wirioneddol yn fy siwtio i. Mae gen i goesau da, a gan fod fy mol a 'mhen-ôl i bellach yn llai o beth coblyn, roedd y sgert yn edrych yn wirioneddol ddel. Felly do'n i ddim yn hapus o gwbwl o glywed Wayne yn chwyrnu fel gwnaeth o.

"Be ti'n feddwl, 'fel'na'?" medda finna yn syth.

"Ti'n rhy hen i wisgo fel hogan ysgol 'dwyt, ti'n edrych yn pathetic."

"Dwi ddim yn edrych yn pathetic."

"Sbia, does 'na 'mond isio i chdi blygu drosodd modfedd, a ti'n dangos dy din i'r byd."

Do'n i ddim; ro'n i wedi bod yn gwneud y stymantia' i gyd o flaen y drych cyn dod i lawr staer ac yn gwybod yn iawn 'mod i'n dangos diawl o ddim oni bai 'mod i'n cyffwrdd 'y nhraed.

"Paid â malu. Be sa'n ti, y? Oeddat ti'n arfer cwyno 'mod i'm yn gwisgo i fyny ddigon, 'mod i'n byw mewn jîns a chrys chwys dragwyddol."

"O'n, ac o't ti wastad yn deud wrtha i fod gen ti bethau gwell i wario arnyn nhw na dillad. Be sy 'di newid dy feddwl di, y? Nid y fi reit siŵr." Roedd ei wefusau o'n fain ac yn filain.

"Be sy ar dy feddwl di, Wayne? Ty'd 'laen, deuda'n union be sy'n mynd drwy'r pen rwdan 'na."

"Mae'n berffaith blydi amlwg tydi? Bron mor amlwg â dy din a dy dits di yn rheina."

Mi wylltiais i'n gacwn, a gafael yn fy mag a 'nghôt.

"Dwi'm yn aros yn fa'ma i wrando ar dy falu cachu di. A tydi'm yn bryd i ti fynd i dy waith dwa'?"

"Dwi'n blydi mynd, paid ti â phoeni. I ennill digon o bres i chdi gael prynu blydi *G-string* ar gyfer y tro nesa ti ti'n mynd i Lo-Cost."

"O, *piss off*." Ac mi gaeais i'r drws nes roedd y ffram yn ysgwyd.

Do'n i ddim am ofyn am bàs i dre ganddo fo, nago'n, felly mi gerddais i'r holl fordd yno fel injan drên a'r stêm yn tasgu y tu ôl i mi. Iesu, ro'n i wedi gwylltio.

Mi wnes i fy siopa i gyd yn rhyfeddol o sydyn. Dim ond wrth adael y siop fara wnes i sylweddoli bod y bagiau'n drwm, felly mi benderfynais i fynd am baned a ffag i'r caffi i roi hoe i 'mreichiau druan i. Fel ro'n i'n stryffaglio drwy'r drws a'r bagiau yn bachu ymhob dim a minna'n rhegi dan fy ngwynt, mi glywais i rywun yn galw arnaf i: Dafydd. Roedd o'n chwerthin ar fy mhen i.

"Beth yffach mae'r drws 'na wedi'i wneud i ti, gwêd?"

"O, paid â sôn, mae pob blydi dim yn fy erbyn i heddiw."

Mi afaelodd yn fy magiau i fel tasan nhw'n pwyso nesa peth i ddim a gwenu arnaf i.

"Wi'n credu y bydde diod go iawn yn gwneud mwy o ddaioni i ti nawr. Ti moyn dod am hanner bach 'da fi?"

" 'Swn i wrth 'y modd, cofia. Ond be am yr ysgol? Sgen ti'm gwersi neu rwbath?"

"Wi'n mynd o boiti'r lle yn gweld plant sydd ar brofiad gwaith heddi, wi newydd weld un yn y swyddfa bost a mae 'da fi ddwy awr cyn gweld y nesa. A wi moyn siarad 'da rhywun sydd â mwy i'w weud 'tho fi na pa mor *boring* yw gwylio pobol yn stampo pethach. Yn enwedig rhywun mewn sgert mor bert."

Doedd 'na'm ots gen i os oedd o'n tynnu 'nghoes i, ro'n i mor falch o glywed rhywun yn canmol y blydi sgert.

"Diolch Dafydd, ond anghofia'r hanner, dwi isio jin a tonic. Un mawr!"

Ges i wên ganddo fo wnaeth godi'r gwres rhyfedda yn rhywle rhwng fy nghoesau i. Mam bach, roedd o'n ddel.

Roedd o'n edrych yn uffernol o barchus yn ei ddillad athro, ond mor ddel.

Roedd y *George* yn wag ar wahân i'r ddau hen foi sy'n byw ac yn bod wrth ben pella'r bar, wrth ymyl toiledau'r dynion. Tydi o'm gwahaniaeth pryd ewch chi yno, maen nhw wastad yno, fel tasa'u penelinoedd nhw wedi tyfu'n rhan o'r bar. Maen nhw wastad yn eich cyfarch chi, ond does gen i'm clem be ydi'u henwau nhw, nac i bwy maen nhw'n perthyn.

"Su'ma'i?" meddai'r ddau fel un.

"Iawn, a chitha?" medda finna.

"Iawn, tad," meddai'r ddeuawd a mynd yn ôl at eu peintiau.

Aeth Dafydd â'r diodydd i'r bwrdd bach tawel rownd y gornel.

"Rhag ofan i un o'r llywodraethwyr ddod miwn!" eglurodd tra'n gosod y gwydr yn ofalus o 'mlaen i a rhoi ei fys yn ei geg am fod 'na 'chydig wedi llifo dros yr ochor. Mmm. Oedd o'n dal ei fys yn ei geg yn hwy nag oedd raid?

"Dim problem. Dwi'm llawer o isio i un o fêts Wayne ein gweld ni chwaith."

"O?" medda fo a chodi'i aeliau.

"Dwi'm isio sôn am y peth, wir i chdi Dafydd. Dwi 'di cael cymaint o lond bol ohono fo yn ddiweddar. Mae o 'di bod yn gymaint o dwat."

Mi adawodd i mi fwydro 'mlaen am oes nes i mi sylwi fod 'na wên fach od ar ei wyneb o.

"Be sy?"

"Wel, o ferch o'dd ddim moyn sôn gair amdano fe, ti wedi llwyddo i weud eitha tipyn."

"O, sori. Dwi jyst..."

"Wi'n gwybod."

Rhoddodd ei law yn araf dros fy llaw i a gwenu arnaf i. Ges i drafferth mawr tynnu fy llygaid i ffwrdd o'r pyllau gleision melfed, cynnes 'na.

"Ond wi am ei weud e 'to. Ti'n edrych yn wirioneddol ffantastic heddi."

Ro'n i'n dechra cochi, damia.

"Diolch. Eto...!"

"A tawn i'n ŵr i ti, fydden i'n falch ohonot ti, fydden i moyn i bawb weld pa mor brydferth, siapus a rhywiol o'dd 'y ngwraig i."

"Ha! Stopia. Dwi'n dechra cochi."

"Ond wi'n gweud y gwir, Llinos. Rwyt ti'n ferch a hanner, a does ganddo fe mo'r hawl i dy fychanu di bob muned. Mae merched fel ti yn brin ac fe ddylet ti fod â'r hawl i wneud beth ti moyn, pan ti moyn a gyda balchder. Mae gyda ti lot fawr i fod yn falch ohono fe."

Doedd o heb symud ei law, a rŵan roedd o'n gafael yn dynn ynddi. Roedd fy stumog i'n troi'n felys, araf, fel roedd o'n arfer gwneud yn y bore pan fyddwn i'n cofio am rywbeth arbennig wnaeth Wayne i mi tra'n caru y noson cynt. Ond doedd hynna ddim wedi digwydd ers blynyddoedd bellach.

"Pam yr holl gompliments, Dafydd?"

"Oherwydd dy fod ti'n eu haeddu nhw."

Roedd o'n gafael yn dynnach rŵan, a fedrwn i'm peidio â'i wasgu'n ôl ryw fymryn.

Doedd o heb flincio unwaith ac mi ro'n i'n cael fy nhynnu i mewn i'r llygaid hyfryd 'na, ac yn mwynhau pob munud. Roedd o'n iawn, ro'n i'n haeddu 'chydig o sylw.

"Ti'n fflyrtio efo fi."

"Ydw. Wyt ti moyn i fi beido?" Doedd o ddim yn gwenu rŵan.

Anadl ddofn. "Nac'dw."

Roedd o'n chwarae efo 'nghoes i o dan y bwrdd, yn hanner cyffwrdd, yn ysgafn chwareus. Roedd blew fy ngwar i'n codi. Suddodd ei fys canol yn araf i mewn i 'niod i a'i sugno yn bwyllog. Yna plymiodd yn ôl mewn i 'niod i a gwlychu fy ngwefus isa', yna'r ucha efo'i fys. Ro'n i ar fin toddi. Mi gaeais i 'ngheg am ei fys o a throelli nhafod amdano. Roedd ei lygaid o'n hanner cau a'i wefusau yn gwahanu a'i ddannedd yn cyffwrdd ei wefus isa'. Doedd yr un ohonon ni wedi yngan na gair nac ochenaid.

Mi drois i rownd rhag ofn bod rywun yn sbio, ond fedrai neb ein gweld ni rownd y gongl fan hyn. Mi symudais i fel 'mod i'n eistedd wrth ei ochr ar y setl, heb fwrdd rhyngddon ni. Cyffyrddodd fy moch yn dyner efo cefn ei fysedd a symud yn ysgafn dros bob modfedd o 'ngwyneb i. Ro'n i'n wlyb domen. Cwpanodd fy wyneb efo'i ddwy law a 'nghusanu i yn araf, dyner, wlyb, gyflym, wyllt nes ro'n i bron â thaeru 'mod i'n hedfan yn y cymylau rhywle. Roedd o'n gwneud i mi deimlo fel brenhines.

Prin allwn i gredu fod hyn yn digwydd, fel hyn, fa'ma o bobman. Ro'n i isio fo yn fwy na dim erioed o'r blaen. Fu caru efo Wayne erioed fel hyn. Roedd o'n cyffwrdd fy mronnau i, yn troelli ei fysedd o gwmpas fy nipls i, oedd yn saethu fel bwledi drwy 'nillad i. Aeth fy mol i din dros ben ac roedd fy mhen i'n troi. Tynnais fy mhen yn ôl i sbio arno fo. Roedd o isio fi, Iesu, roedd o isio fi.

Llyncais fy mhoer, a gofyn yn dawel:

"Dafydd? Faint o amser sy gen ti?" Roedd fy llais i bron yn grug.

"Awr, chydig mwy falle."

"Ga i lifft adre gen ti?"

Doedd car Wayne ddim yno. Gwasgodd fy nghlun a diffodd yr injan.

"Wyt ti'n siŵr, Llinos?"

"Fues i rioed mor siŵr. Ty'd."

Ges i drafferth cael y goriad i mewn i'r clo. Prin o'n i wedi cloi'r drws y tu ôl i ni cyn iddo fo afael ynof i eto a 'ngwthio i yn erbyn y wal a 'nghusanu fi dros bob rhan o 'ngwyneb i a 'mronnau i a llithro'i fysedd i fyny drwy 'nhgoesau i.

"Llinos, Llinos, Llinos..."

Ro'n i'n toddi wrth ei glywed o'n yngan fy enw i fel'na. Roedd o'n swnio fel enw hollol ddiarth.

Roedd fy nwylo i'n twrio dan ei grys. Croen llyfn, cynnes a chyhyrau'n gadarn dan fy 'winedd. Tynnais y cwbwl dros ei ben. Roedd o'n frown efo'r mymryn lleia o flewiach melyn ar ei frest, a nipls bach brown oedd yn ysu am i mi eu cyffwrdd.

"Wi wrth 'y modd 'da hynna," chwyrnodd fel ro'n i'n fflician fy nhafod drostyn nhw.

" 'Dw inna hefyd," medda fi a thynnu popeth allwn i dros fy mhen inna. Diolch byth fod gen i fra glân ymlaen. Fo dynnodd hwnnw a'i luchio y tu ôl iddo fo rywle. Roedd o wrth ei fodd efo nhw, yn sugno a thylino nes ro'n i'n teimlo fel gweiddi nerth fy mhen.

"Aros funud," medda fi a chau cyrtens y lolfa reit handi. Daeth y tu ôl i mi a gwthio'i hun yn fy erbyn i. Roedd o'n fawr. Cusanodd fy nghlustiau, fy ngwar, a'r holl ffordd i lawr fy nghefn.

"Tro rownd," medda fo. Mi wnes. Agorodd fotymau fy sgert a'i gadael i ddisgyn i'r llawr. Bachodd ei fodiau am ganol fy nheits a'u tynnu hwythau i lawr yn araf gan eu dilyn ar hyd tu mewn fy nghluniau efo'i dafod. Daeth yn ôl i fyny yn arafach fyth, yn cusanu a goglais a sbio arnaf i yn ddireudus drwy'i ffrinj. Pan oedd ei wyneb o gyferbyn â fy nicer i, tynnodd hwnnw i lawr heb symud modfedd o'i ben. Ond wnaeth o mo nghyffwrdd i, a minna ar dân isio iddo fo blannu ei hun ynof i.

Cododd yn ôl ar ei draed a nghusanu fi ar fy ngheg. Roedd o'n crynu, ac ro'n i'n hollol noeth, fodfeddi o'r ffenest ffrynt. Roedd ei fysedd o'n hanner cyffwrdd fy mlew i. Plîs, plîs, plîs. Ond roedd o'n anwesu fy nghluniau i rŵan, a 'mhen-ôl i, yn ochneidio a sibrwd yn fy nghlust i.

"Wyt ti moyn fi? Wyt ti moyn fi Llinos?"

"Yndw Dafydd, plîs..."

Llithrodd fys yn araf i mewn i mi. Roedd o'n hyfryd.

"Ti mor fendigedig o wlyb."

Ers meitin!

O mam bach, roedd o'n cyffwrdd fy nghlitoris i. Ac roedd o'n gwybod yn union sut i'w gyffwrdd o hefyd, yn araf, ysgafn, anhygoel o bwyllog a hirfaith a nefolaidd.

Roedd o y tu mewn i mi eto, yna'n mwytho y darn pwysig eto, yna'n ôl mewn i mi, yn gryfach y tro yma. Allwn i ddim peidio gwichian a thuchan a suddo fy 'winedd i'w gefn. Roedd o'n gwybod yn union be ro'n i ei isio a'i angen. Roedd o'n fy rhwbio yn gynt, a bron yr un mor ysgafn. Roedd o'n dechrau digwydd. O, ro'n i'n diferu. Dechreuodd fel gwres yn araf wasgaru i bob rhan ohonaf i, a ryw dinglan drwyddaf i.

"Dwi'n dod, Dafydd."

Cusanodd fi'n wyllt heb newid dim ar rythm ei fysedd. Ro'n i'n dod, yn dod a dod.

"Dafydd, dwi'n dod, Dafydd."

Roedd y gwaed yn drybowndian drwof fi, fy nghyhyrau i'n tynhau, cododd fy mhelfis ohono'i hun ac mi drewais i fy mhen yn ôl yn erbyn y ffenest efo coblyn o glec.

"AW! Ooo, Dafydd... Iesu..." Ac ro'n i'n gadach yn ei freichiau, yn wlyb a llithrig ac yn ei gusanu'n ddiolchgar o waelod calon. Tynnodd fi i'r llawr gan ymbalfalu efo'i drowsus a'i drôns. Ciciodd nhw o'r ffordd a chodi ar ei bengliniau. Roedd o fel un o'r cerfluniau Groegaidd 'na, ysgwyddau perffaith, cyhyrau ei fol yn fandiau tyn o'i gwmpas a'i ddarn yn ymestyn am ei fotwm bol. Waw. Roedd y fynedfa yn fwy na pharod. Gwthiodd hi i mewn yn arallfydol o gelfydd, prin allwn i anadlu. Drosodd a throsodd, fordd hyn, ffordd yna, fan hyn, fan acw, roedd ganddo fo'r stamina a'r hunanreolaeth ryfedda. Ond do'n i ddim yn cwyno, roedd o'n gwneud y petha rhyfedda i mi, yn gwneud i mi ddod drosodd a throsodd.

Pan gymerodd o fi dros y bwrdd, dechreuodd duchan.

"Llinos, fi'n gorfod dod Llinos... YYYYYYYYYYYYYHHH!"

Gollyngodd ei hun arnaf i yn dalp mawr chwyslyd, llithrig, hyfryd.

"Faint o'r gloch yw hi?" Ro'n i jyst abowt yn gallu gweld cloc y gegin.

"Deg munud i ddeuddeg."

"Beth? Shit, damo, ffwc. Wi'n hwyr!" Neidiodd oddi arnaf i, molchi mymryn ar ei hun ynghanol y llestri budron oedd yn dal yn y bowlen, sychu ei hun efo darn o *kitchen roll*, gwisgo fel mellten a 'nghusanu i'n gynnes a 'nal i'n dynn. "O'dd hynna yn ffantastic Llinos. Ond mae'n rhaid i mi fynd, mae blwyddyn naw yn fy nisgwl i ers bron i chwarter awr. Hwyl!"

Ac i ffwrdd â fo gan fy ngadael i'n noeth a chwyslyd ar ben y bwrdd efo gwên wirion ar fy wyneb.

"O diar," medda fi'n dawel a mynd i fyny staer am gawod, oedd yn dipyn o job gan fod fy nghoesau i'n wan fel pwdin.

Roedd fy mhen i'n troi. Be goblyn ddaeth drostaf i? Do'n i heb feddwl unwaith am y ffaith 'mod i'n bradychu Wayne, na Menna chwaith o ran hynny. Sut fyddai Dafydd efo fi yn yr ymarfer nos fory? Be ddiawl o'n i'n mynd i'w wneud? Ond ro'n i wedi mwynhau cymaint. Ro'n i isio'i weld o eto, yn ofnadwy. Un peth oedd yn berffaith siŵr, feiddiwn i byth ddeud gair am hyn wrth neb. Fyw i mi.

* * *

Rywsut, mi wnes i lwyddo i beidio â chochi pan welais i o yn yr ymarfer. Roedd o'n gwisgo trowsus trac siwt du a chrys chwys gwyrdd tywyll, a'i wallt angen crib drwyddo. Roedd fy stumog i'n gwneud acrobatics wrth gofio am sbio i lawr ar y pen hyfryd 'na'n fy llyfu a'm llowcio i.

"Shwmai, Llinos?"

"Haia." Gwenu'n ddel, ond nid yn rhy hir rhag i neb sylwi. Ond ro'n i'n gwybod ei fod ynta isio mwy hefyd.

Roedd hi mor anodd bod yn normal efo Menna, ond roedd hi'n cadw gormod o lygad barcud ar Heather i sylwi ar ddim. A diolch i'r drefn fod Beryl yn rhoi cymaint o sylw i Emyr, achos os oedd 'na rywun yn siŵr o amau rhywbeth, Beryl oedd honno. Ffordd arall o sbio ar *"love is blind"* mae'n siŵr.

Yn y bar, roedd Menna fel gelan wrth ei ochor, a'i braich am ei ganol. Es i atyn nhw a dechra ymuno yn y mwydro am ddimbyd mawr. Ro'n i'n ysu am gael cyffwrdd ynddo fo, ond feiddiwn i byth. Ar ôl tipyn, ges i lond bol; roedd gweld Menna yn hongian oddi arno fo fel'na yn troi arnaf

i.

"Reit, dwi am ei throi hi, dwi wedi addo i Wayne y bydda i adre'n gynnar heno. Wela i chi ddydd Sul. Deg, ia?"

"Ie," medda Dafydd. "ond 'sa funed, mae 'da fi beth wmbreth o waith i'w wneud heno a wi am ei throi hi hefyd. Ti moyn lifft?"

"Wel..." edrychais ar Menna.

"Iesu, dos siŵr, a' i heibio fo nes 'mlaen, pan fydd y bar 'ma wedi hen gau. Ffwrdd â chi, a bihafiwch!" Rhoddodd sws glec iddo fo a slap fach chwareus i'w din.

Ddywedon ni run gair wrth ein gilydd wrth gerdded at y car. Agorodd y drws i mi a syllu i fyw fy llygaid. Es i i mewn yn crynu drwydda i. Cychwynodd yr injan yn syth a gyrru i ffwrdd, a'i law ar fy nghoes.

Trodd i'r chwith yn lle i'r dde. Rois inna fy llaw i rhwng ei goesau a dechra ei fwytho. Cyn pen dim, roedden ni yng nghilfach barcio Coedwig y Fron. Diffoddodd yr injan a throi i sbio arnaf i. Mae o'n swnio'n pathetig, ond aeth y wefr ryfedda drwof fi, gwefr mor bwerus, ro'n i isio crio. Gafaelodd ynof fi'n dynn a 'ngwasgu fi ato nes ro'n i'n cael trafferth anadlu. Wedyn aeth hi'n gowlach gwyllt, chwyslyd o ddillad a breichiau a choesau a thafodau. Dim ffrils, dim ffidlan, dim ond rhyw gwallgo, bendigedig. Barodd yr un ohonon ni'n hir, a phan beidion ni symud, roedd fy nghoesau i ar led yn erbyn y to a 'mhen i rywle dan gesail Dafydd. Helpodd fi i fyny a nghusanu i nes roedd bodiau 'nhraed i'n cyrlio.

"Beth ŷ'n ni'n mynd i'w wneud Llinos?"

"Dwi'm yn gwbod."

"Ond wyt tithe yn teimlo fel fi on'd wyt ti?"

"Sut wyt ti'n teimlo?"

"Fel petawn i wedi cael fy nharo gan feteorit."
"Finna 'fyd."
"Sa i 'di teimlo fel hyn erioed."
"Na finna."
"Mae e'n ffantastic on'd yw e?"
"Ydi. Ty'd yma."

Aeth â fi adre ar ôl i ni drefnu y byddai'n fy ffonio yn ystod egwyl y bore. Roedd fy ngwallt i fel tas wair yn y cefn ar ôl cael ei rwbio gymaint yn erbyn yr *upholstery*, ond mi wnaeth Dafydd job dda o'i gribo a'i fflatio i mi.

Roedd Wayne yn gwylio'r teledu efo can yn ei law a hanner dwsin o rai gweigion o'i gwmpas. Doedden ni heb siarad llawer ers y ffrae am y sgert. Es i i fyny staer i gael molchiad sydyn a brwsio 'nannedd, sgwrio ei flas a'i arogl oddi arnaf i, er 'mod i isio cadw hynny fedrwn i ohono. Ro'n i'n teimlo fel taswn i wedi cael fy ngeni o'r newydd, ac o'n, ro'n i'n teimlo'n brydferthach na wnes i erioed o'r blaen.

Es i'n ôl lawr i wneud paned, i realiti llestri budron a sŵn y teledu o'r lolfa. Doedd Wayne heb symud a wnaeth o'm sbio arnaf i. Mi arhosais i yn y gegin efo 'mhaned a fflician drwy gopi o *Cosmopolitan*. Roedd o'n llawn rhyw, 100 o ffyrdd i wella dy fywyd rhywiol, 50 o betha na wyddoch chi am ddynion a'u dyheadau cyfrin, *"Why I cheated on my husband"*...

Daeth Wayne i mewn.
"Dwi isio ymddiheuro."
"O."

"Na, dyro gyfle i mi. Ro'n i *out of order*. Doedd gen i'm hawl i ddeud pethe fel'na, ond ro'n i'n teimlo mor... 'dwn i'm... oeddat ti'n edrych mor uffernol o secsi, ond do'n i methu deud hynna wrthat ti." Roedd o'n edrych fel hogyn bach wedi colli ei hoff degan. "Dwi'n dy garu di Llin, a dwi ofn dy golli di."

"Ti 'di meddwi?"

"Nac'dw! Plîs Llin..." Roedd y creadur ar goll, yn methu dod o hyd i'r geiriau roedd o eu hangen, ei ddwylo yn tyllu yn ei bocedi a'i lygaid yn ymbilio. Fedrwn i mo'i frifo, a daeth i 'mreichiau i a gafael ynof fi am hir. Wrth gwrs, roedd o isio rhyw wedyn. Fedrwn i'm gwrthod, oherwydd euogrwydd yn fwy na dim, ond doedd ei ymbalfalu lletchwith o'n gwneud dim i mi, nes i mi gau fy llygaid a chogio mai Dafydd oedd o.

Roedd yr wythnosau nesaf yn hectic, rhwng teimlo'n hollol benysgafn a bachu bob cyfle bosib i weld Dafydd, dympio'r plant efo Mam efo esgus gwahanol bob tro, gwneud fy ngore i beidio gweld Menna na Beryl fwy nag oedd raid, ymarfer o ddifri ar gyfer Richmond a thrio cadw Wayne yn hapus a gofalu nad oedd o'n amau dim, ro'n i'n gweld y bliws. Anaml fyddwn i'n gweld Anna i gael sgwrs gall hefyd, ond ges i gip arni yn dre ryw fore. Roedd hi'n edrych hyd yn oed yn fwy ffantastic nac arfer, ac mi wnes i ddweud hynna wrthi hefyd. Ro'n i'n teimlo fel canmol pawb a phopeth yn ddiweddar.

"Y rygbi 'ma mae'n rhaid ynde?" medda hi. "Titha wedi smartio'n arw hefyd dwi'n gweld."

"Hen bryd, yndoedd!" medda fi, efo gwên fach ddiniwed. Ges i wên yn union 'r un fath yn ôl. Roedd 'na ryw sglein gwahanol yn ei llygaid hitha hefyd. Tybed?

"Dwi am ddod i Richmond gyda llaw, dwi wedi trefnu bod Mam yn gofalu am y plant. A dwi'n mynd i blincin wel chwarae hefyd!"

"Gwych! Ond be am Dylan?"

"Geith o fynd i ganu, ceith!" chwarddodd. "Rhaid i mi

fynd, dwi 'di addo helpu Nia i ddysgu'r parti cydadrodd ar gyfer y Steddfod. Wela i di ar y cae heno, ia?"

"Ia, iawn, wela i di."

Wel, wel, wel. Roedd yr hen Anna yn ei hôl, beryg.

Rhedodd dyn tal, gwallt melyn ar draws y sgwâr ac fe neidiodd fy stumog i i 'nghorn gwddw i. Ond nid Dafydd oedd o. Rhyfedd hefyd, roedd ganddo fo ddybls ymhobman yn ddiweddar. Gwenais wrthaf fy hun wrth ei gofio yn anwesu fy mronnau i neithiwr. Roedd o'n taeru eu bod nhw wedi tyfu, a minnau'n taeru eu bod nhw'n fwy sensitif hefyd. Wrth eu boddau efo sylw gwell nag arfer, mae'n rhaid.

Ro'n i'n bendant yn cael mwy o sylw nag arfer gan ddynion diarth. Ar ôl sesiwn o ryw arallfydol efo Dafydd, nid yn unig ro'n i'n teimlo fel tasa 'nghorff i gyd yn tinglan, ond roedd dynion ar y stryd yn gallu'i synhwyro fo hefyd. Mi fyddwn i'n siopa yn Tesco efo gwên ar fy wyneb, a phob dim ro'n i'n ei gyffwrdd yn teimlo yn newydd sbon dan fy mysedd i, ac yn ddi-ffael, mi fyddwn i'n dal llygaid dynion yn sbio arnaf i, ac ro'n i'n gwybod eu bod nhw'n gwybod 'mod i newydd gael rhyw, a hwnnw'n ryw gwyllt, gwallgo, hollol blydi briliant. Ac mi fyddwn i'n gwenu'n ôl arnyn nhw a byseddu chydig mwy ar y botel Domestos oedd ar fin mynd mewn i 'masged i.

Do'n i ddim yn teimlo'n euog o gwbl. Ro'n i mewn cariad llwyr, cariad tanllyd, bendigedig, a'r cwbl allwn i feddwl amdano drwy'r dydd bob dydd, oedd Dafydd. Roedd hyd yn oed y plant yn ail iddo fo. Ro'n i'n byw am ei weld o, am gael bod efo fo, yn gwasgu pob dim allan o bob eiliad o'i gwmni o. Mi fyddwn i'n mynd rownd y dre ddwywaith rhag ofn i mi weld ei gar o, a fy stumog yn gwneud *triple-back somersaults* bob tro ro'n i'n ei gyfarfod o yn annisgwyl. Ond mi fyddwn i'n teimlo ambell gic-stumog o euogrwydd weithia, pan fyddwn i'n dod adre yn hwyr yn y nos yn dal i deimlo Dafydd ynof fi, yn rhoi'r golau ymlaen ac yn gweld bod y tŷ yn hollol, berffaith lân a thaclus.

# Pennod 14

BYTHEFNOS YN DDIWEDDARACH, do'n i ddim yn teimlo cystal, ac yn dechra amau. Es i i'r cemist peth cynta fore Llun a phrynu bocs o Predictor. Do'n i ddim yn gorfod ffidlan efo ryw dest tiwbs ac ati fel y gwnes i pan o'n i'n amau 'mod i'n disgwyl Mali, mae pethau gymaint mwy syml rŵan. Mi dynnais i'r beiro o declyn allan o'i focs a sbio'n wirion arno fo. Rhywbeth mor syml i benderfynu rhywbeth mor uffernol o bwysig? Roedd y cyfarwydd-iadau hyd yn oed yn fwy syml: *"Place in the urine stream for just one second"*.

Ro'n i'n crynu fel deilen wrth baratoi fy hun. Mi fues i'n eistedd ar y lle chwech am hir, fy meddwl i'n un gybolfa fawr, ddisynnwyr.

Sylwais fod y bath yn fudur. Tydi Wayne erioed wedi glanhau'r bath ar ei ôl yn ei fyw, ac roedd y llinell dew o'i faw o yn fy ngwylltio i fwy nag erioed rŵan. Roedd o fel petai o'n methu gadael llonydd i mi, hyd yn oed fan hyn, rŵan, yn gwneud rwbath mor – wel – breifat.

Gafaelais yn y teclyn ac anadlu'n ddwfn. Dim byd. Allwn i yn fy myw â gollwng y dropyn lleia. Codais eto a rhoi sgwriad i'r mwg dal brwsys dannedd. Roedd o'n sglyfaethus. Pan ges i o mor lân â phosib, yfais ei lond o, drosodd a throsodd. Yna, yn ôl â fi at y lle chwech.

Mi ddaeth yn y diwedd, a minna'n panicio'n lân rhag

ofn y byddwn i'n methu efo'r beiro. Ro'n i'n gorfod rhoi'r caead yn ôl yn ei le ac aros am bedwar munud. Rois i o ar sil y ffenest a thanio ffag. Ffag i brofi 'mod i ddim yn feichiog, ffag oedd yn troi arnaf i, ond ro'n i'n mynnu ei smocio beth bynnag.

Roedd 'na ddwy ffenest yn y teclyn, ac os oedd y lliw glas yn diflannu o'r ffenest fwya ar ôl pedwar munud, ro'n i'n iawn. Ar ôl tri, roedd o'n dal yno. Tri deg eiliad i fynd a dim newid. Roedd y llinell fechan, las, ddiniwed yn gwrthod diflannu. Am eiliad, mi feddyliais i am y tro hwnnw yn yr ysgol pan wnes i gamgymeriad mewn traethawd pwysig, cyn iddyn nhw greu Tippex, a phan fues i'n sgwrio efo rhwbiwr nes oedd y papur yn dwll. Gollyngais y ffag i lawr y pan. Ro'n i'n teimlo'n sâl. Pedwar munud. Roedd o'n dal yno. Ro'n i'n feichiog.

Ro'n i isio chwydu. Fedrwn i ddim credu'r peth. A minna mor ddwl a chredu mai oherwydd 'mod i mor ffit ro'n i'n hwyr. Mae o'n digwydd i genod sy'n gwneud athletics, yntydi? Wel roedd hi wedi canu arnaf i rŵan, yndoedd? Taflais y cwbwl i lawr y lle chwech a beichio crio, crio nes roedd o'n brifo. Allwn i ddim chwarae yn erbyn Richmond. Mae o'n erbyn y rheolau. Chaiff merch feichiog ddim chwarae rygbi – rhywbeth i'w wneud efo yswiriant. Yr holl waith caled i ddim byd. A blydi hel, pwy oedd y tad?

Rhedais lawr staer a rhwygo'r calendr oddi ar y wal. Damia, fedrwn i ddim gwneud syms. Nid Dafydd, na, doedd 'na ddim ond chydig dros fis ers y diwrnod cynta 'na, wel, bron i saith – naci, wyth wythnos. O hec. Mi wnes i ddechra crio eto nes roedd y calendr yn nofio. Am lanast. Dyma be ro'n i'n gael am fod yn anffyddlon i 'ngŵr, am fradychu Menna a bradychu fy hun. Arnaf i oedd y bai a neb arall. Ro'n i wedi anghofio cymryd y bilsen fwy nag unwaith. Cymaint ar fy meddwl i, bywyd mor hectig, wedi blino mor ofnadwy ar ôl bod efo Dafydd tan berfeddion. Y ffŵl, y blydi ffŵl.

Roedd y ffôn yn canu. Mi wnes i adael iddo fo ganu am hir, ond roedd y person yr ochor arall yn styfnig. Mam mae'n siŵr.

"Helô."

"Helô, le o't ti? O'n i byti ei roi fe lawr."

"O, Daf..."

"Beth sy'n bod? Wyt ti'n iawn?"

"Nac'dw."

"Beth... odi Wayne –"

"Tydi o'm byd i 'neud efo fo – wel, ella 'fyd. O shit, be dwi'n mynd i 'neud Daf?"

"Llinos, sa i'n deall..."

"Dwi'n disgwyl. Dwi'n blydi disgwyl babi."

Tawelwch llethol.

"Dafydd? Wyt ti'n dal yna?"

"Odw."

"Dyma i chdi be ydi llanast 'de?"

"Ie."

Saib.

"Deuda rwbath!"

"Sa i'n gwybod beth i'w ddweud."

"Ti'n grêt mewn crisis, dwyt?"

"Odw i?"

"O, Dafydd!"

"Nage fi yw –"

"Y tad? Dwi'm yn gwbod."

"Ond ma' fe'n bosib."

"Hyd y gwn i. Dwi heb weld y doctor eto."

“Falle nad wyt ti –”

“Gwranda, dwi ’di cael dau, dwi’n gwbod ’mod i’n blydi disgwyl, reit ?”

“Iawn, iawn, ocê.”

“ ’Di o ddim yn blydi ocê.”

“Na, wi’n gwybod. Mae’n ddrwg ’da fi.”

Saib.

“A’ i i weld y doctor pnawn ’ma jyst i ’neud yn siŵr – ond dwi’n berffaith siŵr. Fydda i’m yn gallu chware yn erbyn Richmond, ti’n dallt hynna dwyt?”

Tawelwch.

“Llanast go iawn, ynde?”

“Ie, glei.”

“Ti’n uffernol o dawel.”

“Wel, sa i’n gwybod beth i’w weud odw i?”

“Nagwyt siŵr. Sori. Yli, dwi’m yn meddwl ddo i heno. Wnei di egluro wrthyn nhw?”

“Fi?”

“Ia.”

“Beth yffach wi fod i ddweud?”

“ ’Mod i ’di ffonio i ddeud ’mod i’n disgwyl, a ’mod i methu chware.”

“Mor syml â ’na.”

“Ia. Wnei di? Plîs?”

“Wrth gwrs ’ny.”

“Diolch.”

“Croeso. Odi Wayne yn gwybod?”

“Nac’di, ddim eto.”

“O. Shgwl, mae’n rhaid i fi fynd. Wela i di?”

“Ia. Iawn.”

“Na fe ’ten. Hwyl.”

“Hwyl.”

Roedd o wedi rhoi'r ffôn i lawr. Rois i 'mhen yn fy nwylo a chrio fel babi eto.

Ges i apwyntaid ar gyfer dau. Doedd Heather ddim yn gweithio felly ges i Dr.Jones, sy'n hen fel cant ac yn debyg i dortois – pen moel a dim gên.

Gwenodd yn braf pan welodd fi'n sefyllian wrth y drws.

"Llinos! Sut ydach chi ers talwm, a sut mae eich mam? Heb weld yr un ohonoch chi ers oes."

"Iawn diolch, a chitha?"

"Purion, 'ngeneth i, purion, edrych ymlaen at ymddeol yr ha' 'ma ynte. Rŵan, be alla i ei 'neud i chi ?"

"Dwi'n meddwl 'mod i'n disgwyl."

"O, wel llongyfarchiadau!"

Ac mi ddechreuais i grio.

Ar ôl rhoi'r plant yn eu gwlâu a golchi llestri swper, mi wnes goffi llaeth i Wayne a minna ac eistedd wrth ei ochor o ar y soffa. Roedd o'n gwylio *Sgorio*. Fuo gen i rioed 'fynedd efo pêl-droed. Ac mae gen i lai fyth o 'fynedd efo pêl-droedwyr soffa sy'n mwydro a malu am oriau fel tasen nhw'n gwybod bob dim ond prin wedi cicio pêl eu hunain. Mae hwn a hwn yn anobeithiol, taswn i'n rheolwr 'swn i 'di rhoi sac iddo fo ers talwm, iac iac bla bla fel tasen nhw wedi bod yn rheolwyr rhyngwladol eu hunain ers ugain mlynedd. Sioe ydi o i gyd. Gêm hollol blincin syml sy'n cael ei thrafod fel rhywbeth mwy cymhleth a phwysig na holl ryfeloedd y byd i gyd efo'i gilydd. Dynion 'de.

"Wayne."

"Be?" Heb symud ei lygaid oddi ar y sgrîn.

"Dwi angen siarad efo chdi."

"Am be? Ooo... sbia pàs sâl. Blydi lembo."

"Mae o'n bwysig."

"Hisht am funud 'nei, mae hon yn uffar o gêm dda."

Doedd 'na'm pwynt, nagoedd? Es i'n ôl i'r gegin i ddarllen *Cosmopolitan*, erthygl efo'r pennawd – *'Seduce him, he'll love you for it'*.

Dries i eto ar ôl clywed y flondan 'na'n dymuno nos da i'r gwylwyr glafoeriog.

"Gawn ni siarad rŵan 'ta?"

"Iawn. Be sy'n bod rŵan 'to ?"

"Dwi'n disgwyl."

Poerodd gegiad cyfan o'i goffi llugoer dros y carped.

"Y?" ar dop ei lais.

"Mi glywaist ti."

"Ti'n siŵr?"

"Berffaith siŵr."

"Blydi hel!"

"Dyna ddeudis i hefyd. Wel, ar wahân i'r 'blydi'."

"Ers pryd?"

"Dwi'm yn gwbod eto."

"Ond ti ar y pil."

"Wnes i anghofio, do?"

"Blydi hel, Llinos!"

"Dwi'n gwbod."

"O wel, mi fydd hi'n dynn arnan ni am dipyn eto 'lly."

"Bydd, m'wn."

"Ta-ta Disneyland."

"Ia."

"Ond awn ni nes 'mlaen, pan fydd hwn neu hon yn ddigon hen. Tydi o'm yn ddiwedd y byd 'sti Llin. Duwcs, mwya dwi'n meddwl am y peth, mwya dwi licio'r syniad."

"Be?"

"Elli di anghofio am y rwtsh rygbi 'ma rŵan yn gelli, ac eith petha'n ôl fel oedden nhw."

"Fel oedden nhw?"

"Ia, chdi adre efo'r plant, fi'n cael rwbath 'blaw *pizza* i swper..."

"*Pizza* i swper?..."

"Ia, ac mi fydd Mali ac Eilir yn gweld mwy arnat ti, ac mi fyddan nhw wth eu boddau yn cael brawd neu chwaer fach."

"Ti'n meddwl?"

"Wel debyg iawn. Babi ydi be oeddat ti angen o'r cychwyn mae'n siŵr. Pam wyt ti'n sbio arna i fel'na?"

A dyma fi'n ffrwydro. Mi alwais i o'n bob dim dan haul. Es i'n benwan. Dwi'm yn cofio'n union be ddeudes i, mae'r cwbwl fel niwl coch i mi rŵan. Yn y bôn, rois i'r bai i gyd arno fo. Arno fo oedd y bai 'mod i'n feichiog. Mi wnes i ei gyhuddo fo o fynd ati'n fwriadol am nad oedd o'n gallu derbyn bod gen i fywyd y tu allan iddo fo am y tro cynta erioed.

Aeth o'n hollol wallgo wedyn a deud petha cas uffernol am ferched yn chware rygbi. Dwi'n cofio iddo fo ddeud bod dynion yn gallu bod yn ran o dîm heb iddo fo effeithio ar bawb arall, ond fod merched yn ei droi o'n obsesiwn, yn enwedig fi. Dyna pryd luchiais i'r jar coffi ato fo. Mi chwalodd o'n deilchion yn erbyn y wal.

"Doeddat ti'm hanner mor blydi *violent* o'r blaen 'chwaith !"

"Ffyc off!"

"Ac mae dy iaith di 'di mynd i'r diawl hefyd. Sgen ti'm llwchyn o urddas ar ôl, nagoes? Sbia arnat ti!"

Roedd fy ngwallt i wedi disgyn allan o'r gynffon, ro'n i'n stribedi cam o fascara gwlyb dros fy mochau ac ro'n i'n sefyll fel John Wayne ar ganol lino'r gegin efo sosban yn fy llaw.

"Sgen hyn ddim byd i'w wneud efo rygbi! Blydi disgwyl

ydw i!"

"Doeddat ti'm fel hyn efo'r ddau arall."

"Doedd gen i'm byd gwell i'w 'neud yr adeg hynny, nagoedd?"

Roedd o'n welw. Ro'n i wedi ei frifo fo. Ac ro'n i'n falch.

"Felly mae'r gêm 'ma'n golygu mwy i chdi na fi a dy blant?"

"Oedd, mi roedd o, ond dyna fo, dwi'n ôl lle ti isio fi rŵan, yntydw?"

"Ond ti'm yr un fath ag oeddet ti."

"Diolch byth."

"Dwi'm yn licio chdi fel hyn."

"Tyff. Dwi'n licio fy hun fel hyn, ac nid fi 'di'r unig un."

"Be ti'n feddwl?"

Damia.

"Y genod eraill, 'de? Mae gen i fwy o fêts go iawn rŵan na fu gen i erioed o'r blaen, yndoes?"

Edrychodd yn od arnaf i.

"Oes?"

"Oes."

"Ond ti byth yn sôn am Beryl na Menna nac Anna y dyddie yma."

"Wrth gwrs 'mod i!"

"A ti byth isio secs chwaith. A'r ychydig droeon ti 'di cytuno, ti jyst yn gorwedd yna fel brechdan."

Ro'n i isio'i ateb o, ond allwn i ddim. Roedd o'n wir, a phan fyddai o ynof fi, allwn i mo'i gusanu o.

Edrychodd arnaf i eto am hir.

"Dwi'n mynd i 'ngwely."

"Dos 'ta."

Ac mi aeth. Ro'n i isio cyfogi, ac ro'n i'n ysu am gael breichiau Dafydd yn gafael yn dynn ynof fi. Es i ati i sgubo'r coffi i'r bin. Roedd o wedi mynd i bobman, fel cawod o eira budur dros bob dim, yn y bowlen siwgwr, yn y jwg llaeth ac yn y tostiwr. Doedd 'na'm pwynt trio achub y llaeth, felly mi dywalltais i'r cwbwl i lawr y sinc.

# Pennod 15

DO, MI WNES i feddwl am gael gwared ohono fo, ond dim ond am yr eiliad ferra bosib. Do'n i'm yn ferch fach yn ei harddegau na dim byd felly, doedd gen i ddim rheswm moesol o fath yn y byd i wneud y fath beth, nagoedd? Fyddwn i byth wedi gallu byw efo fo. Wnaeth neb grybwyll y peth wrtha i chwaith.

Mi dderbyniais i'r sefyllfa gan mai fy mai i oedd o yn y lle cynta. Doedd y babi druan ddim ar fai, nagoedd? Ac roedd hi'n bosib mai babi Dafydd oedd o. Wnaeth o ddim fy rhwystro i rhag dal i weld Dafydd ar y slei, ond doedd petha ddim cweit fel y buon nhw. Roedden ni'n dau mor ymwybodol fod 'na rywbeth yn tyfu y tu mewn i mi, ond yn dewis peidio trafod y peth. Roedd hi gymaint haws jyst cario 'mlaen fel o'r blaen a thrio cogio nad oedd o'n bod, er 'mod i'n gobeithio yn dawel bach mai ei fabi o oedd o. Doedd gen i ddim teimladau o gwbwl at Wayne bellach, ac os oedd petha'n giami cynt, roedden nhw ganmil gwaeth rŵan. Prin fydden ni'n gweld ein gilydd heb sôn am siarad. Roedd o'n bachu bob cyfle bosib i ddianc o'r tŷ ac yn dod yn ei ôl tua hanner nôs yn chwil ac yn drewi o têc-awê.

Doedd y plant ddim yn ddwl chwaith. Roedden nhw gymaint tawelach nag arfer ac yn cadw draw o'r tŷ hynny fedran nhw, yn hel esgus i fynd i chwarae efo hwn a hwn a hon a hon dragwyddol. Do'n i heb ddeud wrthyn nhw am y babi, ro'n i am aros sbelan. Ond aros am be, dwi'm yn siŵr.

Ges i'r gyts i fynd i'r clwb ar y nos Iau ola' cyn y gêm. Roedd pawb allan ar y cae yn gweithio yn wirioneddol galed, chwarae teg. Mi fues i'n sbio arnyn nhw am hir. Roedden nhw'n dîm go iawn, y bêl yn llifo yn gyflym a chelfydd, pawb yn rhedeg, neidio a rycio nerth eu coesau, eu hanadl yn stemio o'u cwmpas yn yr oerfel, ond neb yn tuchan, neb yn cwyno, pawb yn rhoi popeth oedd ganddyn nhw. A'r cwbwl fedrwn i ei 'neud oedd eu gwylio. Oeddwn, ro'n i'n mwydo fy hun mewn hunan dosturi. Ro'n i'n ysu isio rhedeg ar y cae i ymuno efo nhw.

Mi fues i'n sefyllian yno am gryn hanner awr cyn i Dafydd sylwi arnaf i. Daeth ata i â'i ddwylo yn ei bocedi, a hanner gwên ar ei wyneb.

"Shwmai?"

"Iawn."

"So ti'n oer?"

"Sythu."

Ro'n i isio iddo fo afael ynof fi, rhoi ei freichiau amdanaf i, ond wnaeth o ddim wrth gwrs, doedd fiw iddo fo a Menna mor agos. Menna. Roedd meddwl am y ddau efo'i gilydd fel cyllell yn fy asennau i, ond doedd yr un ohonon ni wedi sôn gair amdani drwy gydol y berthynas. Tybed oedd o'n dal efo hi oherwydd ei fod o'n ei charu hi? Ond ro'n i'n gallu gweld o'i lygaid o mai fi oedd o'n ei charu. Roedd ynta jyst â drysu isio gafael ynof fi, ro'n i'n gwybod.

Trodd yn sydyn i sbio ar y genod.

"Wi'n credu ein bod ni'n mynd i roi crasfa i Richmond."

"Well i chi 'neud."

"Wyt ti am ddod gyda ni?"

"Dwi'm yn meddwl."

"Ond pam lai? Ni gyd moyn i ti ddod."

Doedd gen i ddim rheswm penodol, a deud y gwir ro'n i jyst wedi cymryd yn fy mhen o'r cychwyn cynta na fyddwn i'n mynd. Ond roedd ei lygaid o'n addo cymaint. Hwyrach y gwnai les i mi.

"Oes 'na le i mi?"

"Wel wrth gwrs 'ny!"

"Iawn 'ta, ddo i."

"Gwych!" Bu bron iddo fo fy nghyffwrdd i, ond rhoddodd ei law yn ôl yn ei boced. "Wela i di yn y bar wedyn?"

"Iawn. Dafydd?"

"Ie?" Trodd yn ei ôl i sbio arnaf i.

"Does 'na'm gobaith i ni... wedyn...?"

"Anodd. Prynhawn yfory 'falle? Ffonia i di?"

"Ocê." Damia. Heno ro'n i isio fo. Rŵan.

Es i i'r stafell newid efo'r genod. Roedd y bar yn wag ac roedd gen i angen clywed eu lleisiau nhw, siarad efo nhw.

Roedd Beryl yn y gawod yn barod, yn canu nerth ei phen, rwbath am 'sathru blydi Richmond yn y baw'. Tynnu amdani oedd Menna.

"Haia Llin. Lle ti 'di bod? Dwi'm wedi dy weld ti'n iawn ers oes, naddo?"

"Naddo, 'wyrach."

"Naddo bendant! O'n i'n dechra meddwl 'mod i 'di dy bechu di neu rwbath. O'n i reit flin mai Dafydd o bawb ddeudodd wrtha i dy fod ti'n disgwyl 'fyd. Oedd gen ti'n hofn ni neu rwbath?" Roedd hi'n gwenu. Mi dries i wenu yn ôl.

"Cachu brics y bysach chi'n fy mlingo i am fod mor

flêr!"

"Ia m'wn! Oedd o'n dipyn o sioc, dwi'm yn deud, ond dyna fo, mae'r petha 'ma'n digwydd, ac mae Heather wedi troi allan i fod yn wythwraig reit dda. Ddim cystal â chdi, cofia. 'Sa hi byth yn gallu llenwi dy sgidia di, ond mi fydd hi'n iawn."

"Grêt."

Dechreuodd siarad yn is, fel mai dim ond y fi allai ei chlywed uwchben y clwcian a'r canu o'r gawod.

"Gwranda Llin, ga i air efo chdi wedyn? Yn y bar?"

"Cei siŵr. Am be?"

"Dafydd. Dwi'n amau ei fod o'n gweld rhywun arall. Rhywun sy'n fa'ma."

Allwn i ddim yngan gair, dim ond rhythu arni a gobeithio i'r nefoedd nad o'n i'n cochi. Roedd hi wedi dadwisgo yn llwyr rŵan, ac aeth am y gawod. Daeth Beryl allan heibio iddi, yn sgleinio'n binc drosti.

"Haia Llin! Iesu, ti'n llwyd fel llymru, be sy?"

Daeth Menna ataf i efo'i pheint cyn i mi gael cyfle i gael gair efo Dafydd.

"Ty'd draw fa'ma," medda hi gan fy arwain i i'r gornel dawel ger y peiriant ffags.

Eisteddodd wrth fy ochr a chynnau ffag. Cynigiodd un i mi. Ysgydwais fy mhen.

"O ia, sori. Reit, mae o'n bendant yn gweld rywun 'sti. Sgen i'm prawf, ond dwi'n gwbod."

"Sut wyt ti'n gwbod ?"

"Wel, ers wythnosa rŵan, mae o wastad yn gorfod mynd i rywle i weld rhywun, ond doedd o byth yn gorfod gweld neb ar y dechra. Ac mae o'n cael cawod bob blydi munud, *cyn* cael secs efo fi, *ar ôl* cael secs efo fi, dwi'n synnu bod gan y diawl groen ar ôl ar y rêt yma. Ac mi ddeudodd fod ganddo fo gyfarfod staff ar ôl ysgol echdoe, y bydda fo'n siŵr o fod yno tan o leia saith, ond pan es i heibio'r ysgol ar y ffordd i'r ganolfan hamdden, doedd 'na'm un blydi car yno, heb sôn am ei gar o."

"Wnest ti ofyn iddo fo lle oedd o 'di bod?"

"Naddo."

"Wel, ella bod ganddo fo eglurhad hollol jona."

"Ti'n meddwl?"

"Mae'n bosib, yntydi?"

"Ydi am wn i… ac mi roedd o isio secs pan ddaeth o'n ei ôl, erbyn meddwl. Ar ôl cael cawod."

"O? Wel dyna fo 'ta."

"Be? Ti'n meddwl 'mod i'n dychmygu petha?"

"Ti wastad wedi bod fymryn yn paranoid, yndo Menna?"

"Ydw i ddiawl! Ond be am yr holl folchi 'ma, 'ta?"

"Mae 'na rai dynion yn mynd yn ffyslyd fel maen nhw'n mynd yn hyn 'sti. Oedd Wayne yr un fath, oedd o'n licio cael ei goes drosodd *any time any place* ar y dechra, ond ar ôl dipyn, allai o ddim diodde cael rhyw os nad oedd o – a minna, yn berffaith lân. Mae'r cwbwl yn gorfod bod yn antiseptic rŵan am ryw reswm."

O'r siâp oedd ar ei llygaid hi, roedd Menna druan yn amlwg wedi credu y cwbl. Tydi o'n od fel mae rhywun sydd angen credu rywbeth yn derbyn y rhesymeg fwya pathetig?

"Diolch i ti Llin, dwi'n teimlo lot gwell rŵan. Ond dwi dal yn mynd i gadw llygad ar y blydi Heather 'na. Mae hi ar ei ôl o, 'sti. Oeddat ti'n gwbod mai hi fydd y capten yn Richmond yn dy le di? Tasa fo wedi dewis Beryl yn fy lle i, iawn, digon teg, ond Heather? O foi sy'n athro, mae o'n gallu bod mor ddwl weithia."

Ac i ffwrdd â hi am y bar eto. Anadlais yn ddwfn. Do'n i ddim wedi gorfod deud gormod o gelwydd. Ro'n i wedi dod allan ohoni. Ond doeddwn i ddim yn hapus efo'r ffaith ei fod o wedi cael rhyw efo hi yn syth ar ôl bod efo fi chwaith.

Daeth Anna ataf i.

"Be ti'n 'neud ar ben dy hun bach yn fa'ma?"

"Jyst meddwl."

"Ti rioed yn dal i adael i'r babi dy gnoi di. Mae o wedi digwydd Llin, ond mi fyddi di'n ôl y munud y bydd o wedi'i eni. Ella mai ffawd ydi o, ella mai dyma'r peth gore i chdi ar hyn o bryd."

"Iesu, ti'n swnio fatha Wayne."

"Sori. Ond ella bod 'na rywun yn trio deud rhywbeth wrthat ti."

"Y?"

"Yli, trio deud ydw i fod 'na rai petha i fod i ddigwydd. Mae 'na betha eraill sy'n hollol anghywir i chdi, ddim yr amser iawn na'r person iawn. Wyt ti'n gweld be sy gen i?"

Wel myn uffarn i! Roedd Anna yn fy nabod i'n well na neb wedi'r cwbwl. Ro'n i'n geg-agored a bron iawn a chwerthin neu grio, fedrwn i ddim penderfynu pa un.

"Ers pryd wyt ti'n..."

"Ers talwm Llinos. Roedd 'na sglein yn dy lygaid di a fo, a ryw fath o lastig anweledig rhyngddach chi rywsut. Wyt ti fel 'sat ti'n goleuo i fyny pan fydd o o gwmpas. Ond watsia dy hun. Ifanc ydi o, cofia."

Rhoddodd bwt ysgafn i mi yn fy ysgwydd a chodi ar ei thraed. "Ty'd at y genod yn fan'cw, i ti gael meddwl am rywbeth arall am funud." Ac mi ddilynais i hi fel ci bach at Beryl, Nia a'r criw. Roedden nhw wrthi'n tynnu coes Nia am ei bywyd carwriaethol. Beryl oedd wedi sylwi fod Nia fach denau wedi rhoi tipyn o bwysau ymlaen o'r diwedd ac yn edrych fel hogan mewn cariad.

"Dwi'n iawn, yntydw Nia! Ti 'di cochi, yli! Pwy ydi'r *mystery man* 'ma, y? 'Dan ni'n ei 'nabod o?"

Ond mwya'n byd roedden nhw'n tynnu arni, lleia'n byd roedd hi'n ei ddeud. Ddeudodd Anna na finna r'un gair chwaith.

Ges i alwad ffôn gan Dafydd toc ar ôl cinio y diwrnod wedyn. Doedd o ddim yn gallu fy nghyfarfod i am fod Menna yn glynu fel gelan ynddo fo drwy'r adeg, bron nad oedd o'n amau ei bod hi'n ei ddilyn o gwmpas yn y car.

" 'Swn i'n synnu dim," medda fi. "Un fel'na ydi hi."

"Alla i ddim godde rhagor o hyn, mae menywod cenfigenus yn fy hala i mas o 'nghlocs."

"Be? Ti'n mynd i orffen efo hi?"

"Bydd raid i fi, mae'r sefyllfa hyn yn... yn ridiciwlys on'dyw e?"

"Ti'n deud wrtha i."

"Wela i di ar y bws fore Sul? Naw o'r gloch? Falle gawn ni gyfle i gael cwtsh fach cyn diwedd nos."

"Dim ond os fydd Menna allan o'i phen efo diod."

"Sy'n fwy na phosib! Sa i erio'd wedi cyfarfod menyw sy'n tanco fel Menna, ac mae ei hangofyrs hi yn uffern ar y ddaear. Wel, na fe 'ten, wela i di ddydd Sul. Hwyl i ti."

"Hwyl, Dafydd." Ro'n i isio deud 'mod i'n ei garu o, ond fyddai o ddim wedi swnio'n iawn, rhywsut.

Pesychodd rhywun y tu ôl i mi.

"Hwyl *Dafydd*?"

Wayne. Roedd Wayne y tu ôl i mi, wedi clywed y cwbwl.

"Sut ddoist ti mewn mor –"

"Oeddat ti'n mwynhau'r sgwrs gymaint, doeddat."

Rhythodd arnaf i.

Damia.

" 'Di o ddim be ti'n feddwl."

"O, nac'di?"

"Nac'di. Holi petha munud ola ynglŷn â fory oedd o."

"Ia, ia."

"Tydi petha ddim yn dda rhyngddo fo a Menna."

"Wel nac ydyn, debyg iawn."

Roedd 'na wên ffiaidd ar ei wyneb o.

"Gwranda, Wayne –"

"Naci, gwranda di Mrs.Parri. Mae'n rhaid dy fod ti'n meddwl 'mod i'n uffernol o dwp neu rwbath."

"Paid â –"

"Cau dy geg." Doedd o ddim yn gweiddi. Roedd o'n waeth na hynny – llais oer ac araf oedd yn fy rhewi i. Roedd ei lygaid o'n pefrio fel dwy farblen o rew glas, dyfrllyd. "Ti 'di bod yn ei ffwcio fo ers misoedd, yndo?"

Doedd o ddim wedi symud modfedd ond roedd o fel tasa fo'n agosáu er hynny. Ro'n i isio llyncu 'mhoer, ond allwn i ddim.

"Paid â boddran trio gwadu'r peth, dwi'n gwbod yn iawn be ti 'di bod yn 'neud. Dwi'n gwbod ers talwm fod 'na ryw ddyn arall gen ti, a rŵan dwi'n dallt pwy ydi o, y bastad hwntw 'na. Mi lladda i o."

"Wayne –"

"Cau hi, yr hwran."

Camodd yn ei flaen, fy ngwthio yn galed yn erbyn y wal a gafael yn fy mreichiau i. Roedd o fel gefail, a'i winedd yn claddu i mewn i mi, fel tasa fo'n trio gwasgu at yr esgyrn.

"Plîs Wayne..."

"Wedi cael llond bol ohona i, do? Agor dy goesa iddo

fo bob cyfle gei di, a 'ngwrthod i bob blydi nos. Be am y plant, y? Ti 'di stopio am funud i feddwl be 'neith hyn iddyn nhw?"

"Wayne, ti'n 'y mrifo i."

"Sut wyt ti'n meddwl y byddan nhw'n teimlo pan gawn nhw wybod bod eu mam nhw yn hwran? Y? A'r babi 'ma, pwy ydi'r tad?"

Roedd o'n fy ngwthio i mor galed yn erbyn y wal, ro'n i'n siŵr fod fy ysgwyddau i ar fin cracio. Rhythodd i fyw fy llygaid.

"Ty'd 'laen, pwy ydi'r tad, Llinos?"

Ddeudes i ddim gair.

"Ti'm yn blydi gwbod, nagwyt?" Roedd o'n gweiddi rŵan, yn poeri ei eiriau allan. Tynnodd fi o'r wal a 'nhaflu i ar lawr.

"Mae'n siŵr mai meddwl amdano fo oeddat ti yr ychydig droeon 'nest ti adael i mi dy ffwcio di, ond mi fyddi di'n gwbod yn iawn pwy sy ynddat ti rŵan." Roedd yn sefyll uwch fy mhen yn rhwygo ei falog yn agored.

"Paid, paid Wayne, plîs."

Ond mi wnaeth.

Rhwygo a thynnu a phwmpio a dyrnu a fedrwn i 'neud dim i'w rwystro fo. Ro'n i'n gwneud hynny fedrwn i i'w wthio i ffwrdd, ond roedd y gwahaniaeth cryfder yn anhygoel. Allwn i ddim symud. Roedd o fel anifail, yn mwynhau fy ngweld i yn diodde, a phob trywaniad yn wenwyn pur. Roedd pob modfedd ohonaf i yn sgrechian, a blas gwaed a chyfog yn fy ngheg. Ro'n i'n wag a llonydd ac yn cau fy llygaid yn dynn pan ddaeth o i ben.

Cododd ar ei draed heb ddeud gair ac aeth i fyny'r staer. Ar ôl gorwedd yn crynu lle'r o'n i am hir, codais yn sigledig a baglu at y sinc i chwydu 'mherfedd. Sychais fy ngheg efo cefn fy llaw. Roedd fy ngwefus yn gwaedu. Mi wnes i 'ngore i gau fy nghrys ac ailwisgo, ond roedd fy mysedd i'n crynu ac roedd popeth wedi'i rwygo. Y crys ges i'n bresant Nadolig gan y plant y llynedd.

Cerddais yn boenus at y drych uwchben y ffôn. Roedd golwg fel hen wrach arnaf i. Un llygad goch oedd yn dechra cau yn barod, gwefus oedd yn chwyddo o flaen fy llygaid a gwallt fel cynffonau llygod mawr. Gafaelais mewn brwsh a cheisio ei dynnu drwy'r caglau. Wedyn es i i'r rhewgell i nôl ciwbiau o rew, eu rhoi mewn lliain sychu llestri a'u dal yn erbyn fy ngwefus a'm llygad. Roedd o'n fendigedig, yn boenus, ond yn braf.

Clywais sŵn dŵr o'r toilet fyny staer. Roedd o'n dod i lawr yn ei ôl. Arhosais lle'r o'n i wrth ymyl y sinc a 'nghefn at y drws.

"Llinos?"

Wnes i'm ateb.

"A' i i nôl y plant. Dwi'n meddwl y bysa'n syniad cogio fod 'na ddim byd o'i le, er eu mwyn nhw. Ond os ei di i Richmond 'fory, dwi'n dy adael di. Mi a' i â nhw i *Little Chef* neu rywle rŵan i ti gael amser i feddwl be sy bwysica i chdi."

Clywais y drws yn cau, ei sgidie ar y concrit a'r car yn gyrru i ffwrdd. Ac mi gries i nes roedd fy mhen i bron â hollti.

Ffoniais Anna, ond doedd hi ddim adre. Doedd Dylan ddim yn siŵr pryd fyddai hi'n ôl. Wnes i'm gadael neges. Mi ffoniais i Dafydd wedyn, ond doedd ynta ddim yno. Doedd 'na ddim pwynt ffonio neb arall, roedd 'na ormod i'w egluro.

Ges i fath hir, hir i drio'i olchi o allan ohonaf i, a sgwrio a beichio nes roedd fy nghroen yn fflamgoch a 'mhen i'n sgrechian. Y bastad. Ro'n i'n trio gweld ei ochor o, trio dychmygu sut fyswn i wedi teimlo tasa fo wedi gwneud yr un peth i mi, wedi 'nhwyllo i efo un o genod dre, ond ro'n i'n dal i'w gasáu o, ei gasáu o gyda chas perffaith. Doedd ganddo fo ddim hawl gwneud hynna i mi. A dim hawl defnyddio'r plant fel blacmel chwaith. Mi wnes i drio ffonio Mam, ond rois i'r ffôn yn ôl lawr cyn iddo fo ganu.

Mi ddois i o hyd i'r sbectol haul yn llofft Mali yn y diwedd. Efo tipyn o golur, do'n i ddim yn edrych yn rhy ddrwg, a doedd y wefus heb chwyddo yn ofnadwy. Roedd hi'n teimlo'n waeth na'i golwg. Fel fi.

Ar ôl tacluso'r tŷ, gwylio rwtsh ar y teledu a smocio hanner paced o ffags, roedd hi'n tynnu am saith o'r gloch. Roedd gen i gur pen uffernol, felly mi adewais nodyn ar y bwrdd yn egluro fod mam yn sâl ac wedi mynd i'w gwely.

Mi glywais i nhw'n cyrraedd toc ar ôl hanner awr wedi, sŵn y ddau fach yn chwerthin, yn amlwg wedi cael eu sbwylio, nes iddyn nhw ddarllen y nodyn a cheisio sibrwd a dringo'r staer ar flaenau eu traed. Glywais i Eilir yn oedi am chydig wrth y drws. Roedd o'n amlwg yn trio sbecian drwy'r crac.

"Nos da, Mam," sibrydodd. "Gobeithio byddi di'n well 'fory."

Ro'n i isio codi a'i gofleidio fo'n dynn, ond wnes i'm symud.

Mi wnes i fy ngorau glas i gysgu, ond methu'n rhacs. Daeth Wayne i fyny yn hwyr, yn amlwg wedi aros o flaen y bocs nes roedd ei lygaid yn sgwario. Dringodd i mewn i'r gwely yn fregus a sibrwd:

"Llinos?"

Ond ro'n i'n hen law ar actio cysgu erbyn hyn. Mi gymerodd ynta oes i gysgu ar ôl gorwedd fel delw wrth fy ochr, heb gyffwrdd bys ynof fi. Ro'n i'n gallu teimlo ei lygaid yn ymbil arnaf i, ond tyff. Roedd o'n difaru, yndoedd? Wel, roedd o'n mynd i ddifaru mwy 'fory.

Roedd o'n cysgu'n sownd pan godais i. Gwisgais y sgert fer a'r teits eto. Es i lawr staer a dod o hyd i'r botel wisgi yn y bin sbwriel. Roedd hi'n hanner llawn neithiwr. Byddai'n cysgu am sbelan go lew, felly. Digon o amser i fynd â'r plant at Mam, fel ro'n i wedi trefnu ers tridiau. Roedd y ddau yn falch o 'ngweld i.

"Ydw, dwi lot gwell diolch."

"Mam, pam ti'n gwisgo sbectol haul?" holodd Mali tra'n ymlwybro'n gysglyd am y lle chwech.

"Mae fy llygaid i'n brifo."

"Pam?"

"Am 'mod i wedi bod yn sâl. Brysia rŵan, neu mi fyddan ni'n hwyr."

"Ga i sudd oren i frecwast ?" gofynodd Eilir tra'n clymu ei hun yn ei sgidie.

"Cei siŵr. Ty'd yma, gad i mi dy helpu di."

"A chrempog?"

"Crempog?"

"Ia, ges i grempog efo sôs piws yn Licyl Shef neithiwr. Oedd o'n lyfli. Ga i?"

"Paid â bod yn wirion, sgen i'm amser i 'neud rwbath fel'na. Be am bowlan o Frosties, ti'n licio Frosties dwyt?"

"Well gen i grempog. Ddeudodd Dad y bysa fo'n mynd â ni am grempog rywbryd o'n i isio."

"Do 'fyd?"

"Ac aru fo ddeud y bysan ni gyd yn cael mynd yno eto heno os oeddet ti'n dod."

"O ia?"

"Wyt ti'n dod?"

"Nac'dw, mi fydda i yn Richmond yn bydda? Tydan ni'm yn dod nôl tan ganol nos."

"O Mam! Cha i ddim crempog felly!"

"Sori, Eilir."

"Ond Mam!" Crychodd ei wyneb, yr arwydd ei fod am grio protest.

"Paid ti â dechra! Dwi'm yn gallu dod a dyna ddiwedd arni. Gewch chi fynd rywbryd eto. Rŵan, hastia."

Roedd Mali yn sefyll yn y drws a'i brwsh dannedd yn ei llaw.

"Pam wyt ti mor flin efo ni, Mam? Be 'dan ni wedi 'neud?"

"Be? Dwi'm yn flin efo chi, siŵr."

"Ond ti o hyd yn mynd â ni at Nain, 'dan ni byth bron adre efo ti rŵan, ddim ers talwm."

Roedd o fel dwrn yn fy stumog. Syllai'r llygaid mawr arnaf i yn disgwyl am eglurhad.

Codais ar fy nhraed a brwshio ei gwallt hir hi'n ôl efo 'mysedd.

"Dwi wedi bod yn brysur, dyna'r cwbwl. Chi'ch dau ydi'r bobol bwysica yn fy mywyd i."

"A Dad," medda Eilir. Trois yn ôl i sbio arno fo.

"Mae Dad yn bwysig i ti hefyd, yntydi?"

"Ydi siŵr. Rŵan, lawr â chi."

Eisteddais ar wely Eilir a syllu ar y nenfwd. Be o'n i'n 'neud?

Wedi gollwng y plant yn frysiog efo Mam, a gweiddi na fedrwn i ddod i'r tŷ oherwydd 'mod i'n hwyr – fyw i honna weld 'mod i'n gwisgo sbectol haul eto – es i'n syth am y clwb. Ro'n i'n gwybod mai adre y dylwn i fynd, ond allwn i ddim ei wynebu o. Doeddwn i heb benderfynu dim yn iawn, ro'n i jyst yn gobeithio y byddai pob dim yn gwneud synnwyr wedi i mi ddilyn fy nhrwyn, fy ngreddf, be bynnag oedd o.

Roedden nhw wrthi'n llwytho ar y bws. Gwelodd Dafydd y car yn cyrraedd a chododd ei law a gwenu. Gwên fawr, groesawgar oedd yn golygu 'mod i wedi gwneud y penderfyniad iawn. Ond ges i siom pan eisteddodd o wrth ymyl Menna, er 'mod i'n gwybod yn iawn mai dyna be fyddai o'n ei wneud. Nid dyma'r adeg i dorri calon y mewnwr. Roedd Anna yn eistedd efo Nia, a Beryl efo Emyr. Felly es i at Awen.

"Wel helô Stevie Wonder, be ddigwyddodd i chdi?"

"O, ia. Ffrae efo coeden, coelia neu beidio. Mynd yn rhy gyflym drwy goedwig ar y beic."

Ro'n i wedi palu mwy o gelwyddau mewn deuddydd na wnes i erioed yn fy mywyd o'r blaen.

Roedd pawb mor llawn o'r gêm ac wedi cynhyrfu'n lân, ches i'm cyfle i boeni am ddim, dim ond gadael i mi fy hun chwerthin am ben Siân Caerberllan yn chwarae Charades yn drychinebus a jôcs diddiwedd Beryl. Tawel oedd Menna, dal i bwdu am na chafodd hi ei dewis yn gapten, mae'n siŵr. Ro'n i'n trio peidio sbio gormod ar Dafydd, ond bob tro ro'n i'n simsanu, roedd ei lygaid yno, yn gynnes a rhywiol. Roedd o'n amlwg yn cwestiynu pam 'mod i'n gwisgo sbectol haul a hitha'n ddiwrnod mor gymylog, ond mi wnes i lwyddo i osgoi'r cwestiwn bob tro.

Daeth Richmond i'r golwg erbyn cinio, a llwyddwyd i gyrraedd y cae yn ddidrafferth, diolch i Beryl am drefnu eu bod nhw'n gyrru map ymlaen llaw.

"Asu, cae neis ynde?" medda Beryl wrth gamu i lawr o'r bws. "Mae 'na bres yn fa'ma, lads."

Roedd y stafelloedd newid yn braf a sgleiniog hefyd. Mi adewais i'r genod iddyn nhw gael newid ac es i chwilio am Dafydd. Roedd o tu allan yn syllu ar y cae. Es i fyny ato fo yn dawel a chwythu i lawr ei wâr. Trodd i fy wynebu a lledodd gwên dros ei wyneb. Cyffyrddodd fy wyneb yn ysgafn efo cefn ei law.

"Helô. Ti'n edrych fel ffilm stâr yn y sbectol 'na."

"Diolch, dwi'm yn teimlo fel un, ond mi fyswn i tasan ni'n cael pum munud bach o lonydd."

"Beth, nawr?"

"Ia. Mae pawb arall yn brysur yn newid."

"Ond ble?"

"Mae 'na ddigon o gutiau ac ati o gwmpas y lle 'does?"

"O's, ond..."

"Ty'd!" Ro'n i wedi sylwi ar hen gwt bach pren y tu ôl i'r bws, fyddai'n gwneud i'r dim. Cychwynnais amdano a throi'n ôl yn chwareus. Dilynodd fi fel hogyn bach drwg.

Welodd neb mohonon ni, ac i mewn â ni. Roedd 'na jyst digon o le i'r ddau ohonom sefyll os oedden ni'n gwasgu at ein gilydd fymryn. Prin oedd o wedi cau'r drws ar ei ôl, ro'n i wedi taflu 'mreichiau amdano ac yn ei gusanu'n wyllt. Ar ôl hanner eiliad o sioc, gafaelodd yntau ynof fi a 'nghusanu fi'n ôl. Ro'n i'n hedfan. Dyma sut roedd petha i fod, fel hyn ro'n i fod i deimlo. Agorais ei falog a gwthio fy llaw i lawr.

"Hei, wow nawr Llinos! 'Sda ni ddim digon o amser!"

"Oes tad."

Roedd o mor hawdd ei berswadio. Fel pwti yn fy llaw. Pwti effro iawn, iawn. Roedd o'n griddfan a bron a thynnu fy ngwallt allan o 'mhen i. Tynnodd fy nheits i lawr a chodi fy sgert.

"Wi mor falch dy fod ti ddim yn gwisgo jîns heddi." Ac

roedd o ynof fi. Roedd fy nghoes chwith i ar ben un o'r peiriannau a mhen i'n crafu yn erbyn hoelen, ond doedd affliw o ots gen i. Ro'n i angen hyn.

Roedd y cwbwl drosodd ymhen dim. Do'n i heb ddod, ond doedd o'm ots. Angen y cnawd yn erbyn cnawd, y cyffwrdd, y cusanu ro'n i. Brysiodd Dafydd i roi pob dim yn ôl yn ei le priodol. Roedd ei fochau o'n fflamgoch!

"Sa i'n gallu credu beth ni newydd 'neud! So ti'n gall fenyw!"

"Ro'n i isio chdi."

Chwarddodd a chusanu fy nhalcen i.

"Well i ni fynd nôl, gloi! Mae Menna mewn tymer digon drwg fel ma' 'ddi."

"Aros funud, mi ddylwn i fod wedi deud wrthat ti'n syth, ond, wel..."

"Rywbeth abwyti'r sbectol hyn, yfe?"

"Ia. Mi glywodd Wayne ni'n siarad ar y ffôn ddoe. Mae o'n gwbod."

"O ff –"

"Aeth o'n wallgo, ac mi – wel, mi ges i waldan..."

"Dere weld." Tynnodd y sbectol yn ofalus. "O, Llinos..."

"Tydi o'm yn brifo gymaint ag oedd o."

Ochneidiodd yn drwm.

"Mae'n ddrwg 'da fi. Damo, bydd pawb yn gwybod nawr, a bydd e am fy lladd i!"

"Mae o'n ormod o gachgi."

"Os ti'n gweud. Shit! Beth ni'n mynd i wneud nawr?"

" 'Dwn 'im. Be wyt ti isio 'neud?"

"Wel, bydd raid i ni fynd nôl at y merched nawr 'n bydd e, a chanolbwynto ar y gêm. Bydd raid i mi gael amser i feddwl, Llinos."

"Bydd siŵr."

"Af i mas gynta, dere di ymhen ychydig funude."

Ac ar ôl sbecian drwy gil y drws, i ffwrdd â fo.

Doeddwn i ddim yn siŵr be ro'n i wedi ei ddisgwyl, ond yn bendant, do'n i ddim wedi dychmygu y byddai o'n ei heglu hi mor sydyn wedi i mi ddeud wrtho fo, nac y byddwn i'n teimlo mor debyg i hen hances fudur. Ro'n i isio crio. Ond wedyn dyma fi'n deud wrthaf fy hun nad oedd ganddo fo ddewis, chwarae teg. Roedd pawb yn siŵr o fod yn chwilio amdano fo erbyn hyn, a doedd 'na'm pwynt llusgo pawb i mewn i 'mhroblemau i.

Twtiais fy sgert, oedd yn farciau o rwd drosti, a thynnu'r gwe pry' cop allan o 'ngwallt. Agorais y drws yn ara'; doedd 'na'm golwg o neb, felly i ffwrdd â fi am y stafelloedd newid. Roedden nhw wedi dechra cynhesu i fyny yn barod, a sŵn y styds yn diasbedain drwy'r waliau.

Es i i mewn yn dawel bach, roedden nhw i gyd yn canolbwyntio gormod i sylwi arnaf i. Roedd yr awyrgylch yn codi gwallt fy mhen ac es i'n groen gwydd drostaf. Roedd Dafydd a Heather ill dau yn rhannu yr ysbrydoli a hynny yn wefreiddiol. Canolbwyntiai pawb ar bob sillaf, bob saib, a'r tawelwch yn grefyddol bron.

Gadewais i'm llygaid grwydro dros gyrff y tîm. Roedd pob un wan jac yn edrych yn wirioneddol ffantastic, cyhyrau wedi eu creu o ddim byd, pob corff yn pelydru ffitrwydd a chant-y-cantrwydd. Roedden nhw'n werth eu gweld, yn dîm rygbi go iawn, o ddifri, dim malu cachu. A minna fel het y tu ôl iddyn nhw – het oedd wedi anghofio cymryd pilsen fechan, ddiniwed un noson, oherwydd 'mod i wedi cowlio'n lân, wedi gwirioni 'mhen efo Dafydd. Fe fyddwn i wedi rhoi'r byd am gael bod efo'r genod rŵan yn fy sgidie rygbi, yn does o *liniment*, yn awchu am gael y bêl, am daflu corff gwrthwynebydd i'r llaid, am daflu fy hun dros y llinell gais â'r bêl yn fy llaw.

Dechreuodd y cyfri; roedd Dafydd wedi trosglwyddo yr awenau yn llwyr i Heather ac roedd ei llais hi fel cloch, yn gyrru, symbylu, taeru a mynnu. Roedd hi'n wych. Ac roedd hynny yn gwneud i mi deimlo'n gymaint gwaeth. Prin wnes i sylwi fod Menna wedi hoelio ei llygaid i'r nenfwd drwy'r cwbwl.

"Mas â ni." A dilynodd pawb eu Capten newydd i'r cae. Sbiodd neb arnaf i, roedd eu meddyliau nhw uwchlaw petha pathetig fel fi. Mae'n rhaid 'mod i'n edrych yn wirioneddol dorcalonnus, gan i Dafydd stwnsio 'ngwallt i wrth fynd heibio fel taswn i'n hogan fach newydd falu ei hoff degan. Ond ddeudodd o'r un gair. Codais ar fy nhraed a dilyn sŵn y styds.

Roedd 'na dorf dda yno, tynnwyr lluniau a phob dim. Mae'n rhaid fod y wasg leol yn cymryd y gêm o ddifri yn y parthau hyn. Roedd hi wedi dechra oeri, a chymylau bygythiol, lliw defaid Blaenau yn cuddio pob modfedd o'r awyr. Tynnais fy nghôt yn dynn amdanaf. Roedd y genod yn edrych yn fwy na bodlon wrth gwrs, yn loncian, ymestyn a thaflu'r bêl i'w gilydd, heb y sŵn clwcian ieir arferol, a Dafydd a Heather yn dal i gael sgwrs dactegol munud ola', nes i bêl daro Heather yn galed ar ei phen.

"Wps, sori," medda Menna, oedd yn amlwg ddim yn difaru ffaden. A tydi o ddim fel hi i daflu pêl mor echrydus o gam. Roedd 'na rywbeth yn od iawn yn ei chylch hi heddiw, a doedd hi prin wedi sbio arnaf i heb sôn am siarad efo fi. Daeth blas drwg i 'ngheg i a dwrn o fraw i'm stumog. Roedd hi'n amau.

Sylwais ar Beryl yn cael gair yn ei chlust hi. Dweud wrthi i gallio, mae'n siŵr, ond codi ei hysgwyddau wnaeth Menna a dal ati i daflu'r bêl efo'r lleill. Toc wedyn, cerddodd Beryl ataf i. Es i'n oer drwyddaf.

"Mae Menna fel blydi gafr ar daranau," meddai. "Mae 'na ryw geg fawr wedi deud wrthi neithiwr eu bod nhw wedi gweld Dafydd efo ryw ddynes arall."

"Dow." Dow? Ond dyna be ddaeth allan o 'ngheg i, a honno'n 'ddow' wichlyd.

"Wrthi mewn car mae'n debyg, fwy nag unwaith. Yr hen ddiawl iddo fo, ynde?"

"Asu, ia. Sgrwb."

"Felly mae Menna fel het, yntydi? Ti'n gwbod fel mae hi, tydi hi'm wedi deud gair wrtho fo am y peth, mae hi jyst yn ei gadw fo i gyd mewn, yn ei dynnu o allan ar bobol eraill. Mae hi'n mynd i chwythu i fyny toc, dwi'n gallu ei weld o'n dod."

"Ydi... ydi hi'n gwbod pwy ydi'r ddynes arall 'ma 'ta?" Ro'n i'n difaru gofyn hanner ffordd drwy'r cwestiwn.

"Nac'di, ond mae ganddi syniad go lew dwi'n meddwl. Mae hi'n gwbod yn bendant mai un o'r genod rygbi ydi hi, ac wyt ti a minna yn gwbod –"

Chafodd hi ddim cyfle i orffen, am fod Heather wedi gweiddi arni i fynd i'w safle. Roedd Richmond wedi ennill y *toss* ac yn barod i gychwyn. Rhedodd i'w lle a 'ngadael i'n teimlo'n swp sâl. Ro'n i isio dianc, rhedeg i ffwrdd, gweld Mali ac Eilir a'u cofleidio nhw'n dynn.

Edrychais i gyfeiriad y clwb. Oedd y bar yn agored tybed? Ro'n i awydd meddwi'n rhacs. Ond chwythodd y dyfarnwr i ddechra'r gêm ac aros i wylio wnes i. 'Dach chi'n gwybod pan 'dach chi'n gorwedd yn y gwely isio cysgu ond yn cael trafferth, a chitha'n trio meddwl am rywbeth braf ond wastad yn meddwl am hen sgerbwd bach hyll yn lle hynny? Chi sy'n rheoli'r sgerbwd, ond 'dach chi'n mynnu gwneud iddo fo ddawnsio yn eich pen chi er mwyn sbeitio'ch hun. Fel'na ro'n i'n teimlo, heblaw 'mod i'n gwbl effro y tro yma.

Daeth Dafydd ac Emyr i sefyll wrth fy ymyl i a dechra gweiddi mwy nag arfer. Mi wnes i fy ngorau i ddal llygad Dafydd, ond roedd ei holl enaid wedi ei serio ar yr olygfa o'i flaen. A doedd fyw i mi ddeud dim o flaen Emyr. Doeddwn i ddim yn siŵr be o'n i isio'i ddeud beth bynnag. Waeth i mi jyst gwylio'r gêm, ddim.

Roedd y genod wedi dechra yn addawol iawn, wedi cadw Richmond yn eu hanner eu hunain am ddeng munud da, a'r dorf yn gwerthfawrogi a chymeradwyo, chwarae teg.

Roedd hi'n sgrym iddyn nhw, bum medr yn unig o'u llinell gais nhw. Aeth y bêl i ddwylo'r faswraig ac mi roddodd hi gic iddi, ond yn rhy hwyr. Roedd Heather wedi cael gafael yn y greadures a'i chrensian i'r llawr, ac mae'n rhaid fod 'na sbrings yn ei choesau hi, oherwydd o fewn dim, mi neidiodd yr hen Heather yn ôl ar ei thraed a llamu ar y bêl. Roedd hi wedi sgorio! Aeth ein genod ni yn wyllt a neidio ar ei phen hi yn union fel mae'r pwfftars pêl-droedwyr 'na yn ei wneud, pawb ond Menna oedd yn sefyll yn bwdlyd a'i breichiau wedi eu plethu mewn protest yn rhythu ar Dafydd; roedd o'n neidio i fyny ac i lawr yn gweiddi canu clodydd ei gapten gwych. Clapio wnes i.

Anna oedd am gymryd y gic. Roedd hi'n cymryd ei hamser i osod pob blewyn o wair yn ei le, tra oedd Richmond mewn haid glwclyd y tu ôl i'r pyst yn arthio ar ei gilydd. Camodd yn ôl deirgwaith a chymryd un cam i'r chwith. Edrychodd ar y bêl, yna'r pyst, yna'r bêl eto. Anadlodd yn ddwfn a mynd amdani. Saethodd y bêl i'r awyr a thrwy'r pyst. Ffantastic. Aeth murmur drwy'r dorf.

Roedd petha'n argoeli'n dda. Rhedodd Anna yn ôl at y gweddill a chael hergwd yn ei chefn gan Beryl a choflaid gan Nia. Bechod na fyddai Dylan yno i'w gweld hi.

Roedd hi'n frwydr go iawn rŵan. Roedd Richmond yn amlwg wedi dychryn. Roedden nhw wedi disgwyl cael gêm hawdd, a'n curo ni'n rhacs – wedi'r cyfan, roedd ganddyn nhw saith o sgwad Lloegr yn eu mysg! Doedden nhw ddim am adael i griw anwaraidd o josgins a hambons o bellafion gogledd Cymru wneud ffyliaid ohonyn nhw ar eu tir eu hunain, dim ffiars o beryg. O fewn munudau, roedd un o'u canolwyr hynod gyflym nhw wedi sgorio dan y pyst, gan adael ôl-malwen o gyrff chwyslyd ar ei hôl. 'Chawson nhw ddim trafferth efo'r trosiad chwaith. Aeth y dorf yn wyllt. Ein criw ni oedd yn clwcian rŵan.

*"Game on!"* rhuodd Beryl, y cynta yn ôl i'w safle, fel arfer.

Erbyn hanner amser, prin oedd gen i lais ar ôl. Roedd Emyr bron iawn â gorfod fy nal i'n ôl, ro'n i gymaint i mewn i'r gêm, yn torri 'mol isio bod efo nhw. Roedd y ddwy ochr wedi brwydro yn ffyrnig, ond neb wedi llwyddo i roi mwy o bwyntiau ar y sgorfwrdd. Roedd Nia wedi dod yn agos iawn ati, ond wedi cael coblyn o glec o dacl ar y funud olaf. Roedd Anna wedi cael cynnig ar gic gosb hefyd ond wedi'i methu hi o ychydig fodfeddi.

Rhedodd Siân Caerberllan ataf i efo'r diodydd.

"Ty'd. Helpa fi efo'r rhain."

"Iawn. Ond lle ti 'di bod tan rŵan?" Doeddwn i ddim wedi gweld golwg ohoni drwy'r hanner cyfan.

"Bicies i i'r siopau, mae 'na *boutiques* lyfli yma 'sti. Ond dwi 'mond newydd fod yn Gaer, felly do'n i'm rîli angen dim byd."

Mae isio amynedd Job.

Roedd y genod yn chwythu a thuchan ac yn bachu'r poteli diod oddi wrth ei gilydd fel dosbarth meithrin.

"Da iawn ferched, chi'n gwneud yn dda iawn," medda Dafydd. "Ond Menna, so'r bêl 'na'n dod mas ddigon clou i'r olwyr. Awen, gwylia'r *offside* 'na. Heather – blydi ffantastic, fenyw! Wi moyn gweld mwy o ymosod fel'na gan bawb ohonoch chi, meddwl yn gloi, gyts o waelod calon!"

Gwenodd Heather o waelod calon pan roddodd ei fraich am ei hysgwydd. Edrychais ar Menna. Roedd hi fel trap llygoden a'r sbring ar fin ffrwydro. Roedd y greadures mewn gwewyr a minna'n ddiolchgar mai Heather oedd hi'n ei hamau ac nid fi.

Roedd Beryl wedi sylwi arni hefyd ac aeth i roi ei braich amdani a chynnig ambell air o gysur, ond dim ond gwneud petha'n waeth wnaeth hi. Dechreuodd y wefus grynu a disgynnodd dau ddeigryn mawr tew fel dwy falwen glaear drwy'r baw ar ei bochau. Gwelais y panig yn llygaid Beryl. Nid dyma'r amser i golli mewnwr.

Ro'n i wir ar fin mynd i gael gair efo fo fy hun, ond cyrhaeddodd Beryl ochr Dafydd o 'mlaen i a chael gair tawel yn ei glust. Ond ro'n i'n gallu clywed pob gair.

"Os na watsi di dy hun, ti'n mynd i golli dy fewnwr a dy gariad a'r blydi gêm."

Edrychodd arni yn syn efo'i lynnoedd mawr gleision:

"E?"

"Mae Menna yn uffernol o ypset yn amau dy fod ti'n ffidlan efo Heather."

"E?"

"Cer ati hi RŴAN!"

Siglodd ar ei ddwydroed am chydig, ar goll yn llwyr. Gwelodd y dagrau.

"O, damo."

Edrychodd arnaf i am hanner eiliad, yna ar Heather, oedd yn amlwg wedi clywed y cyfan. Roedd 'na banig yn ei llygaid hitha hefyd.

Cerddodd Dafydd at Menna yn bwyllog. Roedd hi'n sbio ar ei thraed a'i hysgwyddau yn hercian i gyfeiliant yr igian. Rhoddodd ei fysedd yn gelfydd o dan ei gên a chodi ei phen yn araf. Roedd ei hwyneb hi'n llanast. Fedrwn i ddim clywed y sgwrs, ond roedd hi'n gwrando yn astud ac yn ateb yn unsillafog bob hyn a hyn.

"Dwi'n gobeithio i'r nefoedd ei bod hi'n coelio bob blydi gair o'i gelwydd o." Chwyrnodd Beryl gan daflu edrychiad llawn dirmyg i gyfeiriad Heather, oedd ddim yn edrych cweit mor awdurdodol erbyn hyn.

Roedd fy mhen i'n troi; do'n i'm yn siŵr ble i sbio na be i'w goelio. Doedd o ddim yn gweld Heather hefyd, doedd bosib? Roedd popeth yn dechra teimlo fel ryw stori Jilly Cooper.

"Mae isio sbaddu'r diawl gwirion," poerodd Beryl, a cherdded at Emyr oedd wrthi'n strapio bysedd Awen druan, roedd hi'n gwingo mewn poen. "O hec, be ti 'di 'neud Awen?"

Mynnodd y dyfarnwr ei bod hi'n bryd ailgychwyn. Sychodd Menna ei thrwyn efo cefn ei llawes ac ymlwybro yn araf i ganol y cae, a Heather yn sbio'n nerfus arni hi.

Cerddais yn ôl efo Emyr.

"Be sy'n bod efo Awen?"

"Wedi plygu ei bys y ffordd chwith yn y lein owt dd'wetha 'na, ond mi fydd hi'n iawn 'sti. Mae hi'n tyff. Be oedd y ffys efo Menna 'ta?"

"Gofyn i Dafydd."

Roedd o wrth ein hymyl a cododd ei ben yn sydyn.

"Blydi menywod."

"Fydd hi'n iawn 'ta?" holais gan sbio i fyw ei lygaid.

"Wi'n credu."

"Jyst dychmygu petha oedd hi, ia?" Roedd fy llais i'n swnio mor galed.

"Ie. Gawn ni ganolbwyntio ar y gêm nawr?" A throdd i ffwrdd yn swta.

Ro'n i jyst â drysu isio deud mwy, ond cau 'ngheg wnes i.

Dechreuodd y gêm ar gyflymder. Roedd Richmond wedi gweithio eu hunain i gêr uwch, a'r dorf wrth eu boddau. Er i'n genod ni daclo a sbwylio ac ymladd yn galed, llwyddodd eu hasgellwraig nhw i sgorio yn y gornel ar ôl wyth munud. O leia mi fethon nhw'r trosiad.

Toc wedyn, roedd eu blaenwyr nhw yn carlamu i lawr canol y cae unwaith eto. Daeth Heather ac Awen o ddau gyfeiriad gwahanol i daclo'r bachwr oedd â'r bêl yn dynn dan ei chesail. Fe lorion nhw'r ferch, ond yn anffodus, trawodd Heather ei phen yn erbyn gên Awen yn y broses. Roedd 'na glec hyll, ac roedd y dair ar y llawr, y fachwraig yn gwbl ddianaf ond Heather yn mwytho ei phen yn swnllyd ac Awen druan ar wastad ei chefn yn griddfan.

Rhedodd Emyr ymlaen, ac ar ôl hanner bwced o ddŵr ar ei phen roedd Heather yn holliach, ond yn dal i rwbio. Doedd ganddo ddim syniad be i'w wneud efo Awen. Roedd ei gên hi wedi dechra chwyddo a newid lliw yn barod. Daeth y dyfarnwr draw, ac aeth Heather i ymddiheuro a chael golwg hefyd. Ar ôl trafod ychydig, y canlyniad oedd fod Awen yn cael ei helpu oddi ar y cae.

"Damo!" gwaeddodd Dafydd. "Fflur? Dere glou! Ti'n ware!"

"Ond dwi rioed wedi bod yn ail reng, Dafydd!"

"Yffach fenyw – jyst tacla bopeth, 'na'r cwbl 'wi moyn!"

Arhosodd pawb nes roedd Fflur wedi llwyddo i glymu a dadglymu ei hun o'i throwsus tracsiwt. Roedd y greadures yn edrych mor dila ynghanol pawb.

Es i at Awen. Roedd hi'n amlwg mewn poen ac yn cael trafferth agor ei cheg i siarad.

"Wyt ti'n meddwl dy fod ti wedi'i gracio fo?"

Oedd.

"O! sori, Awen. Ti'n y wars go iawn heddiw. Ddoi efo chdi i –"

"Na, mae'n ocê," medda Sian Caerberllan, "edrycha i ac Emyr ar ei hôl hi yli, 'dan ni wedi hen arfer. Dos di nôl at y gêm." Ac i mewn â nhw i'r stafell newid.

"O. Olreit 'ta."

Roedd Dafydd yn gwingo ac yn arthio a bron â thynnu ei wallt allan o'i ben.

"Be sy?"

"Menna sy'n ware fel cath wyllt! Mae'r dwpsen newydd roi cic gosb iddyn nhw o fla'n y pyst!"

"Be 'naeth hi?"

"Taclo'r ferch 'na mor uchel, fel ei bod hi bron â chael ei dicapitêto!"

Roedd physio tracsiwtlyd Richmond wrthi'n rhoi triniaeth i ferch oedd yn cael trafferth anadlu yn iawn. Yn y cyfamser, aeth y bêl drwy'r pyst. Roedd y dyfarnwr wedi cael gair efo Menna, a rŵan, roedd Heather yn rhoi llond pen iddi hefyd, ond cerdded i ffwrdd wnaeth Menna.

Aeth petha o ddrwg i waeth. Ar ôl tacl gas, daeth Anna oddi ar y cae wedi brifo ei garddwn. Credai Heather ei bod hi wedi 'i dorri o, ac aeth Siân â hi i gael sblint a bandej. Daeth un o'r genod iau ymlaen fel eilydd, hogan gyflym ond braidd yn ddibrofiad. Cyn pen dim, roedd 'na bentwr o gyrff am ben ei gilydd a dim golwg o'r bêl, ac roedd Nia – o bawb – wedi cael rhybudd gan y dyfarnwr am roi cic ofnadwy o filain i'r ferch oedd ar waelod y pentwr, y ferch fu'n gyfrifol am y dacl gas ar Anna.

Ar ôl trosedd o'u hochor nhw, heb fod ymhell o'u llinell gais, galwodd Heather am un o'r symudiadau penalti roedden ni i gyd wedi bod yn ymarfer ers wythnosau.

"Ew, reit dda," gwenodd Emyr, " 'dan ni'n garantîd o sgorio rŵan."

Trodd Menna ei chefn at ferched Richmond oedd yn llygadu pawb a phopeth yn gwneud eu gorau glas i ddyfalu pwy fyddai'n ceisio taranu drwodd efo'r bêl. Beryl oedd yr un fwya' amlwg wrth gwrs, ond dyna oedd cyfrinach y symudiad yma. Byddai bron pawb yn mynd am Beryl, ac efallai Manon, fyddai'n dod drwodd ar garlam, ond Heather fyddai'n cael y bêl ar y funud olaf a byddai bron yn amhosib i'w rhwystro rhag sgorio.

Roedd pawb yn eu safleoedd, yn llonydd ond yn llawn adrenalin ac yn awchu am weld Menna yn dechra symud, ond symudodd hi yr un fodfedd.

"Iesu, ty'd 'laen Men!" roedd Beryl bron â cholli ei balans. Roedd genod Richmond yn dechra protestio hefyd, a'r dorf yn dechra chwerthin. Roedd llygaid Menna yn bell i ffwrdd, ond yn sydyn, rhuodd rywbeth annealladwy, curodd ei chluniau efo'i dwy law a chodi'r bêl.

Neidiodd y genod ymlaen. Ffugiodd Menna bas i Beryl, ac aeth tair hogan solat yn syth amdani. Sgrechiodd Manon ei ffordd drwodd a thynnu sylw tair arall. Roedd Heather yn mynd fel y cythraul a'i dwylo allan yn barod am y bêl. Roedd y ffordd yn glir, gyda genod Richmond ar chwâl yn llwyr heb affliw o syniad lle'r oedd y bêl, na lle i droi. Rŵan roedd Menna i fod i daflu'r bêl i Heather, ond wnaeth hi ddim. Be wnaeth hi ond ei thaflu at Fflur, gafodd goblyn o sioc wrth gwrs, a sefyll yn stond a'i cheg ar agor, nes i ddwy o Richmond ei llorio efo clec hyll. Hedfanodd y bêl drwy'r awyr i ddwylo yr asgellwraig groen tywyll, ac mi saethodd hitha drwy'r llanast. Aeth heibio Tracy yn ddidrafferth, a rŵan doedd gan neb obaith mul o'i dal hi.

Mi ymdrechodd Nia ymdrech deg, ond roedd y ferch yn gallu fforddio loncian ei ffordd o dan y pyst a chymryd ei hamser i lorio'r bêl. Roedd Richmond i gyd, yn gefnogwyr a chwaraewyr yn gwichian a whwpian a chwerthin am ein pennau, tra oedd ein criw ni i gyd yn sgrechian ar Menna. Roedd wyneb Heather yn biws.

"Beth yffach sy'n bod arnot ti gwêd? Pam na daflaist ti'r bêl i mi?"

"Oeddat ti'n rhy ara'," mwmialodd Menna.

"Oedd hi ddiawl!" gwaeddodd Beryl. "Roedd pob dim wedi'i amseru yn berffaith a ti'n gwbod hynny'n iawn!"

"Shgwl ar Fflur! Shgwl arni ddi! Arnot ti mae'r bai!" Roedd llais Heather fel sgrech gwylan lwglyd. Gorweddai Fflur ar ei hochr yn y llaid, a gwaed yn tasgu o'i thrwyn.

"Dwi'n ocê, ond dwi'm yn siŵr am fy nhrwyn i," medda hi, yn amlwg mewn poen,"a sori, do'n i jyst ddim yn disgwyl –"

"Paid ti ag ymddiheuro, bach!" protestiodd Heather. "Lle Menna yw hynny."

Gwgodd y ddwy ar ei gilydd am eiliad, nes i Menna fflipio'n llwyr a rhoi coblyn o swaden i Heather, *undercut* berffaith â'i holl gorff y tu ôl iddi. Disgynnodd Heather fel sach o datws, ac aeth chwiban o syndod drwy'r dorf.

Chwythodd Menna ar ei migyrnau.

"Dwi wedi bod isio gneud hynna ers talwm."

Roedd Beryl bron â chrio.

"Oedd raid i ti 'i 'neud o rŵan, fan hyn?"

"Sori. Ond mi *roedd* hi'n rhy ara'."

Erbyn hyn, roedd Dafydd ac Emyr a'r dyfarnwr wedi cyrraedd.

*"What the blazes is going on here?"* holodd y dyfarnwr yn biwis.

Roedd 'na olwg y diawl ar Heather druan, fel tasa 'na lorri newydd fynd drosti, a doedd gan y greadures ddim syniad lle'r oedd hi. Mi gafodd help gan Emyr i gerdded i ffwrdd, a'i choesau yn gwegian oddi tani yr holl ffordd. Arhosodd Dafydd i gael trafodaeth efo Beryl a'r dyfarnwr.

Ar ôl ychydig o godi ysgwyddau ac ysgwyd pennau, cododd y dyfarnwr ei chwiban i'w geg a'i chwythu yn bendant ac uchel. Diwedd y gêm. Roedden nhw wedi penderfynu nad oedd pwynt cario 'mlaen, a'r rheswm a roddwyd oedd nad oedd ganddon ni fawr o chwaraewyr ar ôl. Ar ôl ennyd o ddistawrwydd llethol, dechreuodd y dorf fwngial a gwaredu a thwt-twtian, cyn dechra hanner clapio i ddynodi buddugoliaeth eu tîm nhw. Roedd Menna yn protestio yn wyllt, wrth gwrs, ond ysgwyd ei ben wnaeth Dafydd a cherdded i ffwrdd â'i gefn fel bwrdd a'i lygaid fel marmor.

Ceisiodd Richmond ryw hanner godi tair bloedd i ni, ac mi gawson nhw dair bloedd hynod dila yn ôl. Bu rhai yn ysgwyd dwylo ac ati, ond tawel iawn oedd y cwbwl.

*"Of course we're happy to have gone through to the final,"* meddai'r asgellwraig ddu wrth ddyn papur newydd. *"But it's a terrible anticlimax. We would naturally have preferred to play the whole match, but lack of discipline on the part of the Welsh women put paid to that, unfortunately."*

Dilynais y genod i'r stafell newid. Roedd Nia yn beichio crio ac Anna yn ei chysuro efo'r fraich ddi-sling am ei hysgwydd. Eisteddai Fflur â'i phen rhwng ei choesau a phyllau o waed ar y llawr wrth ei thraed. Roedd Siân Caerberllan wedi cael llond bwced o rew o'r bar ac yn helpu Heather i ddal bageidiau ohono fo ar ei thrwyn a'i boch. Rhwygo ei chit mwdlyd i ffwrdd oedd Beryl, fel tasa hi methu dod allan ohono fo ddigon cyflym. Syllai Awen ar ei gên yn y drych. Roedd 'na chwydd a chlais hyll yn codi fel barf Jimmy Hill, ond o leia roedd hi'n gallu siarad rŵan. "Sbia golwg! Oni bai am y *gumshield* 'na, fysa gen i'm dant ar ôl yn fy mhen." Eisteddian o gwmpas yn swrth a digalon oedd y lleill.

Daeth Menna i mewn. Cododd ambell ben i wgu arni hi.

"*Nice one,* Menna," chwyrnodd Tracy.

Roedd pawb yn rhythu arni rŵan, a'r greadures yn amlwg yn gweddïo am i'r llawr ei llyncu.

"Sori." Ac eisteddodd wrth fy ymyl i rythu ar ei thraed. Roedd yr awyrgylch yn afiach.

"Ty'd, dos am gawod," meddwn i, "ti angen alcohol."

Gwenodd wên fach dila ond ddiolchgar, a dechra tynnu amdani. Edrychais ar Heather oedd yn dal i gael triniaeth gan Siân. Roedd ei llygaid yn goch. Codais ar fy nhraed yn swta.

"Wela i chi yn y munud 'ta."

Roedd y bar yn llawn o siwtiau drud a merched mewn sgertiau pletiog llwyd a pherlau ac roedd y cymylau o ogla sent ac afftyrshêf yn codi cyfog arnaf i. Rhieni y chwaraewyr, byddigions a noddwyr. Roedd 'na nifer o ferched Richmond wedi molchi a newid yn barod ac yn edrych yn anhygoel o smart a pharchus mewn sgertiau duon at y penglin a siwmperi glas gwddw 'V', efo'u logo ar y frest chwith. Chwiliais am wynebau cyfarwydd a dod o hyd i Dafydd ac Emyr mewn cornel wrth y ffenest. Roedd Dafydd wrthi'n rhoi clec i'w beint, tra oedd Emyr yn dal i nyrsian tri chwarter ei ddiod o. Cododd Dafydd fel y cyrhaeddais i.

"Beth ti moyn, Llinos?"

"*Diet coke* os oes 'na."

"Beth? O, ie..." a brysiodd at y bar.

Eisteddais wrth ochor Emyr efo ocheniad drom. "Sut mae o?"

"Fatha tincar ac yn pasa meddwi'n dwll o fewn hanner awr 'swn i'n deud."

"Dwi'm yn beio'r creadur. Mae hi'n afiach yn y stafell newid 'na – gwaed a dagrau'n lli."

"Alla i gredu. Am blydi llanast. Mi ddaeth 'na riportar at Dafydd gynna'..."

"O diar."

"Ia... uffar o dafod gan Dafydd 'ma, yndoes?"

"Oes." Fedrwn i ddim peidio gwenu.

Daeth Dafydd yn ei ôl.

"Wi newydd gael gair gyda gyrrwr y bws, a'r eiliad bydd pawb 'ma, ni'n gadael. Sa i moyn gorfod diodde rhagor o'r rhain a'u *comments* nawddoglyd. Allwn ni stopo mewn tafarn ar y ffordd gatre i gael bwyd."

Cytunodd pawb efo'r trefniant, ac fe adawon ni'r clwb yn dawel a diseremoni heb ddeud ta-ta wrth neb.

Gwyddai'r gyrrwr am dafarn fyddai'n addas ryw hanner can milltir am adre, ac i mewn â ni fel haid o *extras* allan o *Glan Hafren*. Ar ôl ryw ddwyawr, roedd pawb yn dechra ymlacio a rhai hyd yn oed yn llwyddo i weld yr ochor ddigri. Roedd Beryl ac Emyr yn dawnsio wrth ymyl y sgrech flwch fel tasa 'na diwb cyfan o UHU rhyngddon nhw, a rhai o'r genod iau yn sgrechian giglan efo rhai o'r hogia lleol wrth y bwrdd pŵl.

Roedd Anna yn edrych yn hapus tu hwnt o ystyried be

fyddai ymateb Dylan pan welai ei braich mewn sling, ac roedd Nia a hitha yn rhowlio chwerthin dros ryw jôc neu'i gilydd a Siân Caerberllan yn amlwg yn dal i fethu deall y *punchline*. Daeth Menna ataf i efo dau wydraid mawr o jin a thonic a sglein yn ei llygaid i ddynodi ble'r aeth sawl un arall.

"Haia. Ti'm yn teimlo allan ohoni yn hollol sobor a blin a phawb o dy gwmpas di'n meddwi er mwyn peidio bod yn flin?"

"Na, mi fyddan nhw i gyd yn flin eto toc, ac mae o'n rhoi perspectif gwahanol i mi. A beth bynnag mae angen rhywun i ddeud wrthach chi be ddigwyddodd y diwrnod wedyn, toes?"

"Hy. Dwi'm isio neb i fy atgoffa i am heddiw, byth bythoedd. Diwrnod gwaetha 'mywyd i. Pam 'mod i'n gneud llanast o bob dim, Llin? Pam na fedra i fod fatha chdi?"

"Fi?"

"Ia, mae gen ti bob dim. Gŵr smart, plant gorjys ac un arall ar y ffordd. Mae gen ti frêns a ti'n drefnus a ti byth yn gneud smonach o ddim byd, nagwyt?"

"O, Menna..."

"Dwi'n caru Dafydd 'sti, neu o leia o'n i'n meddwl 'mod i. O'n i'n berffaith siŵr mai fo oedd 'yr un', ti'n gwbod? 'Naeth o ddeud bod bod efo fi fel tasa fo 'di cael ei daro gan feteoreit, dyna ddeudodd o, wir i chdi, a fel'na yn union ro'n inna yn teimlo. Mae'n siŵr bod y coc oen yn deud hynna wrth bawb. Y bastad. Ti isio ffag?"

Codais fy llygaid i chwilio am Mr.Meteoreit. Roedd o wrth y bar yn clecio peint arall a'r flondan o farmaid yn fflachio ei dannedd ceffyl a sgleinio ei llygaid drosto fo.

"Sori Menna, dwi'm yn smocio. Yli, dwi jyst yn mynd

allan am 'chydig o awyr iach, ocê?"

"O. Ocê."

Cerddais yn araf drwy'r drws ar goesau jeli, a'r cyfog yn codi. Roedd hi'n dywyll ac oer y tu allan ond doedd gen i ddim mynedd mynd yn ôl mewn i nôl fy nghôt. Cerddais i gyfeiriad coeden fawr yr ochor draw i'r maes parcio. Roedd 'na ogla petrol a chŵn poeth yn y gwynt a sŵn ceir a lorris di-baid o'r draffordd gerllaw. Iesu, ro'n i isio mynd adre.

Fel ro'n i'n agosáu at y goeden, mi glywais i lais merch yn chwerthin yn isel. Damia, roedd 'na ddau gariad yn cofleidio ar y fainc lle'r o'n i wedi bwriadu eistedd. Sefais a chychwyn troi yn f'ôl pan ges i gip o sling wen yn y tywyllwch. Anna? Roedd y chwerthiniad yn uwch rŵan, ac mi fedrwn adnabod y llais: Nia. Fedrwn i ddim symud. Roedden nhw'n cusanu. Cusanu go iawn, fel tasen nhw mewn cariad, dau gorff yn gwlwm tyn a bysedd yn tynnu a mwytho gwalltiau ei gilydd.

Ro'n i isio mynd ond roedd fy nhraed i'n sownd yn y ddaear a fy llygaid i'n gwrthod troi i ffwrdd. Anna o bawb? Anna capel bob dydd Sul, dim rhegi o flaen y plant, dim siwgwr, dim siocled a diawl o ddim yn fy iard gefn i? Wedyn daeth fflachiadau yn ôl i'm meddwl: Anna yn edrych yn iach a hapus, efo sglein *Ready Brek* o'i chwmpas; Anna a Nia yn chwerthin yn y *Crown*; y ddwy yn eistedd efo'i gilydd ar y bws bob tro, a bob amser yn siarad a chwerthin yn isel fel tasen nhw'n rhannu cyfrinachau cwbl breifat. Anna yn cofleidio Nia pan oedd hi'n crio gynnau, yn sychu ei dagrau hi efo papur tŷ bach a llygaid Nia yn syllu'n ddiolchgar arni hi. Nia yn tynnu ei bysedd drwy ei gwallt hi rŵan, a rhedeg ei bysedd dros ei hwyneb yn araf cyn ei chusanu yn dyner ar ei gwefusau am hir, hir. Roedd 'na rywbeth yn brydferth am ddwy ferch mewn cariad yn cusanu ar fainc yn y tywyllwch, ond roedd 'na rywbeth yn atgas ynddo fo hefyd, rhywbeth diarth, tabŵ oedd yn fy styrbio i ganmil gwaith yn fwy nag y byddwn i wedi disgwyl. Ro'n i'n teimlo yn sâl eto. Mae o mor hawdd deall o bell, ond anodd ydi derbyn pan mae o reit o flaen eich trwyn chi.

Cymerais gam yn ôl, ac un arall ac yna troi a cherdded yn dawel yn ôl i'r maes parcio. Es i'n syth yn ôl i'r bar at Menna. Cododd ei phen.

"Ti'n well? Ti'n edrych yn waeth."

"O, diolch yn fawr. Yli, dwi'n iawn, ond mae'n rhaid i mi gael ffag."

Sbiodd yn gam arnaf i am eiliad, yna codi ei hysgwyddau ac estyn y paced i mi.

"Dy fabi di ydi o."

Llwyddodd y gyrrwr a minna i hel pawb yn ôl i'r bws toc wedyn, a daeth Anna a Nia draw ar ôl clywed y sŵn canu a gweiddi. Diolch byth, do'n i ddim isio i neb orfod mynd i chwilio amdanyn nhw. Gwenodd Anna arnaf i fel hogan wyth oed wrth ddringo i mewn i'r bws. Roedd hi'n edrych mor anhygoel o hapus, ond allwn i ddim peidio â meddwl am Dylan, y dyn mwya homoffobig yn y byd. Oedd hi'n mynd i ddeud wrtho fo neu garu efo Nia ar y slei? Ella mai wedi meddwi oedden nhw a jyst yn chwarae o gwmpas. Ond ro'n i'n amau. Disgynnodd y ddwy i'r un sedd mewn cawod o giglan arddegaidd a chofleidio ei gilydd eto. Roedd pawb arall yn rhy chwil i sylwi.

Roedd Dafydd yn hongian. Baglodd i fyny'r staer a chwalu gwynt o waelod ei berfedd. Siglodd am ychydig a rhythu yn hanner dall ar gynnwys y bws o'i flaen. Gollyngodd rech hir, ddrewllyd.

"Wi moyn gweud rywbeth." Ond doedd neb yn gwrando. Dechreuodd weiddi.

"Hisht! Mae gyda fi rywbeth pwysig i'w weud!" Trodd pawb i sbio arno fo.

" 'Na welliant. Wi moyn gweud 'mod i'n rhoi'r ffidil yn y tô." Dechreuodd chwerthin a chogio chwarae ffidil.

"Di didli di... hi hi. Na, siriys nawr, wi wedi cael llond bola, wi wedi rhoi gwment o'n amser i'r ffycin tîm 'ma, a heddi, ro'dd e'n hollol embarasing. Hollol ffycin embarasing. Felly, stwffo chi, sa i'n 'neud e 'to. Ta-ta."

Syrthiodd i'r sedd agosaf at y gyrrwr a rhochian cysgu yn syth bin.

Ddywedwyd yr un gair am hir, nes i Menna weiddi o'r cefn:

"Peidiwch â chymryd sylw o'r bastad. Mae o'n palu celwydda ac arno fo mae'r bai i gyd beth bynnag! Gwynt teg ar dy ôl di'r hwrgi hyll."

Dechreuodd pawb gega ar ei gilydd wedyn, Heather yn bygwth gadael, Menna yn beio pawb a phopeth a deud nad oedd hi byth isio blydi chwarae eto, Beryl yn sgrechian ar bawb i gallio, Emyr yn rhuo a Nia yn udo crio eto. Suddais i waelod fy sêt a thynnu 'nghôt dros fy mhen, ond chysgais i yr un winc. Codias fy mhen un tro'n unig, i weld un neu ddau wyneb llwyd yn syllu allan i'r tywyllwch, cyrff yn gadachau cegagored chwyrnllyd dros ysgwyddau ei gilydd ac Anna a Nia efo'u dwylo i fyny jympars ei gilydd. Dyna pryd ddechreuais i grio.

Criw pathetig iawn faglodd allan o'r bws yn y sgwâr. Roedd hi'n dri y bore a'r lle fel y bedd ar wahân i gi oedd yn rhwygo ei ffordd drwy'r pentyrrau o fagiau sbwriel. Chwydodd Dafydd ei berfedd dros weddillion un ohonyn nhw.

Ddywedodd neb fawr ddim wrth ei gilydd, dim ond diflannu efo ambell 'Ta-ra' i wahanol gyfeiriadau â'u bagiau ar eu cefnau. Aeth Anna a Nia fel un i'r un cyfeiriad. Sylwais ar Siân Caerberllan yn bustachu efo'r horwth mawr o fag oedd yn dal y crysau budron.

"Ti isio help llaw, Siân?"

"O, plîs."

"Sut wyt ti'n pasa mynd â'r rhain adre?"

"Wel, o'n i 'di meddwl ffonio Mam."

"Am dri o'r gloch y bore? O, Siân!"

"Mm, mae hi braidd yn hwyr, tydi? Ond mi fydd hi'n iawn 'sti, mae hi wedi hen arfer. Mi fydd yr hogia yn ei ffonio am dri a phedwar i'w nôl nhw o'r Bala weithia."

"Mae hi un ai yn angel neu yn wirion bôst."

"Angel. Mi fydd hi'n gneud brecwast gwahanol i bawb bob bore 'sti. Uwd i Dad a Meurwyn, bacwn ac wy i Jos a be bynnag fydd Idris isio – mae o licio rwbath gwahanol bob dydd. Cwstard gafodd o bore 'ma. Mi fydda i jyst yn cael powlan o gornfflêcs fy hun. 'Nei di edrych ar ôl rhain tra dwi'n mynd i ffonio?"

"Gwnaf siŵr."

Tra o'n i'n pendroni dros y gwahaniaeth hunanoldeb rhwng mam Siân a minna, mi sylwais i fod Dafydd yn eistedd ar ei ben ôl yn erbyn y wal, fodfeddi o ble buodd o'n chwydu. Codais a cherdded ato.

"Dafydd? Wyt ti'n iawn?"

"E?" Cododd ei ben fel pyped. Craffodd arnaf i am 'chydig. "O, helô, odw. Fel y boi."

" 'Sa well i chdi godi dwa'? Gei di beils yn ista fan'na drwy'r nos."

"Peils? O ie. Poen tin arall, sbo." Gwnaeth ymdrech wan i godi. "Sa i'n deall menywod. Chi gyd yr un peth."

"*Charming*. Ty'd." Estynnais fraich i'w helpu ar ei draed. Roedd o'n pwyso tunnell.

"Diolch, Llinos. Ti'n gariad. Gwranda, sa i moyn mynd gartre wrth fy hunan. Licet ti ddod 'da fi?"

Sbiais yn wirion arno fo. Ochneidiodd.

"Ti wi'n ei charu Llinos, ti'n gwybod 'ny. Plîs? Wi moyn cysgu 'da ti heno."

"Iw-hw!" Roedd Siân yn ei hôl.

Edrychais ar Dafydd. Hyd yn oed yn chwil a phathetig, roedd o'n rhywiol. Ro'n i'n gallu teimlo cynhesrwydd rhwng fy nghoesau dim ond wrth sbio arno fo.

"Llinos?" galwodd Siân. "Mae Mam yn cynnig mynd â chditha adre hefyd, sbario i chdi gerdded yn y tywyllwch."

Gafaelodd Dafydd yn fy llaw a'i gwasgu.

"Dere 'da fi. So ni wedi cael cyfle i gysgu 'da'n gilydd drwy'r nos y'n ni?"

"Well i mi beidio, ddim heno. Mae'n rhaid i mi fynd adre heno."

"Ond wedest ti fod Wayne yn gwybod amdanon ni ta beth, felly beth yw'r ots? Ac yffach dân fenyw, ma' fe'n dy fwrw di!"

"Dwi'n gwbod ei fod o'n swnio'n od, ond... Yli, ella ddo i draw nes 'mlaen, ond mae'n rhaid i mi fynd adre rŵan. Mae gen i blant. Tria ddallt."

"O, iawn. Sdim ots. Af i gatre fy hunan bach. Cusan cyn mynd?"

Roedd Siân yn dal i sbio, ond rois i sws fach iddo fo beth bynnag. Roedd o'n drewi o chwd ond mi fyddwn i wedi rhoi y byd am gael ei gusanu'n iawn. Tynnais fy hun o'i afael a chroesi'r stryd yn ôl at Siân. Erbyn i mi droi'n ôl, roedd o wedi mynd. Eisteddais ar y bag efo Siân i ddisgwyl am ei mam. Roedden ni'n dwy yn dawel am sbel.

"Wyt ti'n ei garu o?" holodd Siân yn sydyn. Trois i sbio arni a 'ngheg yn agored. Gwenodd arnaf i.

"Dwi'n gwbod ers talwm 'sti, ond do'n i'm yn licio deud dim byd." Ro'n i isio gwadu'r peth, ond ro'n i'n gwybod nad oedd 'na bwynt. Roedd hi'n gwybod yn iawn. Siân o bawb.

"Dwi'm yn gwbod be i ddeud."

"Sna'm rhaid i ti ddeud dim os nad wyt ti isio."

"Mae 'na rwbath yn braf yn y ffaith fod 'na rywun arall yn gwbod, rywsut. Ond i ateb dy gwestiwn di: ydw i'n ei garu o? Ydw, dwi'n meddwl 'mod i. Pam arall fyswn i'n rhoi sws i rywun sy newydd chwydu ei gyts allan?" a dechreuodd y ddwy ohonom chwerthin.

Cyrhaeddodd ei mam yn ei gwn nôs a'i gwallt mewn cyrlars ond yn gwenu'n braf. Gollyngodd fi y tu allan i'r tŷ a phw-pwian fy niolchiadau a'm ymddiheuriadau. Roedd yn bleser, medda hi. A hitha'n tynnu at hanner awr wedi tri y bore? Mi fysa mam wedi fy hoelio i'r nenfwd am ei ffonio yr adeg yna o'r nos.

Roedd y tŷ yn dywyll, a doedd 'na'm golwg o'r car. Agorais y drws yn dawel. Roedd y lle fel pin mewn papur, dim sôn am degan yn unlle. Ges i ofn yn syth. Rhedais i fyny'r staer ac agor drws llofft y plant. Roedd y gwlâu yn wag. Rhedais i'n llofft ni er 'mod i'n gwybod yn iawn na fyddai o yno. Agorais ddrws y wardrob. Roedd hanner ei ddillad wedi mynd, a'r cês mawr oedd yn arfer bod ar ben y wardrob. Dim ond ambell ddilledyn oedd yng nghypyrddau y plant hefyd. Es i'n ôl lawr staer fel robot a llenwi'r tecell. Paned. Dyna'r cam cynta. Paned boeth.

Pwysais yn erbyn y sinc a chau fy llygaid. Pan agorais i nhw, roedd gen i stribed hir melyn o flaen fy llygaid.

Cymerodd oes i mi sylwi ar y nodyn oedd yn sownd i'r rhewgell efo un o fagnedau'r plant. Ysgrifen Mali:

*Annwyl Mam,*

*Mae Dad wedi mynd a ni am wuyliau i Lerpwl. Rydan nin mund i aros mewn hotel posh a cael swper yn Lityl Sheff bob nos, neu Macdonals. Nes i hwfro i ti cyn mund. Rydan nin dod ynol dydd mawrth dwin meddwl.*

*swsus mawr*

*Mali a Eilir XXXXXXXXXXXXXXXXXXXXX*

Yfais fy mhaned yn araf. Doedd gen i ddim isio bod yn y tŷ ar fy mhen fy hun, ac ro'n i angen Dafydd. Mi fyddai wrth ei fodd petawn i'n mynd draw yna rŵan. Gwisgais fy nghôt unwaith eto, diffodd y goleuadau a cherdded yn ôl i'r dre. Er ei bod hi'n oer, roedd hi'n noson braf a'r lleuad bron yn llawn. Roedd gen i deimlad ym mêr fy esgyrn 'mod i'n gwneud y peth iawn.

Ro'n i bron â fferru erbyn cyrraedd y fflat. Roedd y drws yn agored; da'r hogyn. Mae'n rhaid ei fod o wirioneddol yn gobeithio y down i'n ôl. Doedd yna ddim golwg ohono lawr staer. Rhois fy nghôt dros un o'r cadeiriau yn y gegin a gwenu o weld y fath lanast. Mynydd o lestri budron yn y sinc, a hwnnw'n sglyfaethus, a bin sbwriel yn gorlifo efo bocsus *pizza*. Tŷ heb lwchyn o ôl merch arno. Bore fory, ar ôl brecwast chwadan, mi fyddwn i'n glanhau y lle nes roedd o'n sgleinio ac yn drewi o *Jif*.

Galwais ei enw yn ysgafn a phenderfynu dringo'r staer

i'w lofft i roi sypreis bach neis iddo fo. Roedd drws ei lofft yn gilagored hefyd, ac mi allwn i 'i glywed o'n griddfan fel plentyn yn ei gwsg. Agorais y drws yn dawel.

Doedd o ddim yn cysgu. Roedd o'n gorwedd ar ei gefn efo gwên fawr ar ei wyneb a Heather hanner ffordd i lawr y gwely efo llond ceg.

# Pennod 16

ROEDDEN NI I GYD wedi meddwl mai Beryl fyddai'r olaf ar y ddaear i fynd am ffrog dreiffl, ond dacw hi yn gacen wen, ffrili yn rubanau a pherlau a blodau i gyd, ei gwallt mewn ringlets ac yn gwenu fel giât. Mae Menna wedi mynnu cael ffrog forwyn hollol blaen ac yn fythol ddiolchgar bod ei gwallt yn rhy fyr i'w roi mewn ringlets; ond gyda phob parch, mae'n dal y blodau 'na fel tasen nhw'n lwmp o gachu. Mae Emyr yn edrych yn stiff ond anhygoel o smart yn ei siwt, a'r trowsus jyst ddigon hir i guddio'r sodlau tipyn uwch nag arfer. Mae Beryl ac yntau yn union yr un taldra fel'na, a mam Beryl yn fodlon y bydd y lluniau yn werth eu fframio wedi'r cwbl.

Mae hi'n anodd credu iddi erioed fod yn Big Bêl. Tydi hi ddim yn sgerbydaidd, fel cymaint o briodferched bwlimig sydd bron yn rhy wan i ddal y blodau ar ôl misoedd o lwgu a chwydu, ddim o bell ffordd. Fydd Beryl byth yn denau, ond mae hi'n stynar heddiw, ac yn bictiwr o hapusrwydd. Mae hynna'n swnio'n Woman's Ownaidd, dwi'n gwybod, ond dyna'r gwirionedd plaen. Yntydi pob hogan yn ecstatig ar ddiwrnod ei phriodas? Pam nad oes 'na neb yn sôn am y priodfab, tybed?

Ro'n i'n wirion bôst o hapus y diwrnod briodon ni, ond prin fedrai Wayne gofio dim, roedd o mor chwil. Doedd o'm isio ffys, ond ro'n i a Mam yn benderfynol.

Chwarae teg i'r hen ddynes, ges i briodas fy mreuddwydion, fwy neu lai, gystal bob tamed â phob llun stori dylwyth teg i mi eu llyncu tra'n hogan fach, heblaw fod y llyffant wedi sgipio ambell dudalen. Mi ddylai rywun ailsgwennu ambell un o'r straeon 'na. Mi ddylai Prins Charming gael ei ddal yn y gwely efo'r ddwy chwaer hyll, ac mi ddylai Eira Wen gael *ménage à sept* efo'r corachod, un gwahanol ar gyfer bob noson o'r wythnos. Hen gnawes chwerw? Fi? Ha! Dim ond diforsî mewn priodas – wel, darpar-ddiforsî. Tydi'r pethau 'ma ddim yn digwydd dros nos. Mi fedri di chwalu dy briodas mewn noson, ond mae'n cymryd oes i wneud chwalfa daclus. Dim ond gobeithio y bydd bywyd priodasol Beryl hanner cystal â'i breuddwydion hi. A waeth gen i be mae neb yn 'i ddeud, mae pob merch drwy'r byd i gyd yn magu'r un freuddwyd yn y bôn. Wedyn 'dan ni'n callio.

Mae'n eitha tebyg y byddan nhw eu dau yn hapus am weddill eu dyddiau. Mae 'na rai cyplau sy'n amlwg yn realistig ynglŷn â'i gilydd, ac mae'r ddau yma yn ffitio'r categori yna. Mae Emyr yn bedwar deg tri ac yn annwyl tu hwnt, ond nid yn bishyn o bell ffordd. Cheith Beryl ddim trafferth efo fo fel'na, mwy na cheith o efo hi; 'tryw' ydi'i enw canol hi. Tydi o ddim yn yfed llawer, ac wedi hen roi'r gorau i fod yn 'un o'r hogia' ac mae'n amlwg ei fod o jyst â drysu isio bod yn dad. Chafodd Wayne ddim cyfle i fynd drwy'r cyfnod yna, na finna.

Mi ddaeth o'n ôl efo'r plant ar y nos Fawrth hwnnw, ond ro'n i wedi cael cryn dipyn o amser i feddwl erbyn hynny. Ro'n i wedi bod am droeon hirion i ben y mynydd ac wedi clirio fy mhen yn y cymylau a charthu holl rwtsh y gorffennol. Ddois i'n ôl lawr yn teimlo fel taswn i wedi sgwrio nhu mewn efo past dannedd ffres â chic mul ynddo fo. O'r diwedd, ro'n i'n gwybod yn union be ro'n i isio a be do'n i ddim isio, a phwy oedd yn amlwg ddim isio fi, ac yn bendant, do'n i ddim isio byw efo Wayne wedi iddo fo wneud hynna i mi. Fel y deudodd Anna, unwaith mae ci wedi cael y blas, waeth i ti ei roi o i lawr, ddim. A do'n i ddim yn ei garu o bellach chwaith, felly doedd 'na'm pwynt. Ac roedd o'n fy nghasáu i.

Ges i lond pen gan fy mam i a'i fam o ac areithiau hirion fod merched fod i dderbyn petha fel'na, er lles y plant. 'Chlywais i 'rioed y fath rwtsh. Ers pryd mae gweld dy fam yn cael ei stido yn gwneud lles i blentyn? Maen nhw'n gallu gweld trwy fêc-yp a sbectol haul a chlywed drwy waliau. Mi ofynnais i iddo fo adael, ac mi aeth. Maen nhw'n deud ei fod o'n ffrindia mawr efo Wendy Cartwright ers tro, ei Ddelila, debyg. O leia mi geith o dorri ei wallt am ddim o hyn allan. Mae'r plant efo fi, ond yn gweld Wayne bob penwythnos, sy'n fy siwtio i i'r dim; mae'n rhoi cyfle i mi wneud fy ngwaith coleg.

Mae'r ddau wedi aeddfedu tipyn yn ddiweddar. Roedd yn gas gen i achosi cymaint o boen iddyn nhw, ond mi fues i'n hollol onest efo nhw, ac maen nhw wedi dod drwyddi yn rhyfeddol. Do, mi fuo 'na grio a strancio a gwirioneddau yn cael eu poeri i 'ngwyneb i, yn enwedig gan Mali. Mi lwyddodd i 'neud i mi grio fwy nag unwaith, ond, wel, mae plant yn synnu rhywun o hyd, yntydyn? Rydan ni'n fêts rŵan.

Maen nhw efo fo heddiw, tan nôs fory. Dwi'n casáu mynd adre i dŷ gwag, ond dyna fo. Dwi'm yn pasa cyfadde hynna wrth neb. Iesu, mae'r sieri 'ma'n afiach. Mae Menna wedi mynd i nôl bob o lager i ni. Mae hi'n cymryd ei hamser. A, dyma pam:

"Haia, sori 'mod i 'di bod mor hir. Ti'n cofio Rheinallt? Cefnder Emyr – roedd o'n y chweched pan o'n i'n y flwyddyn gynta."

Wrth gwrs 'mod i'n ei gofio fo. Roedden ni gyd yn gwlychu'n hunain pan fyddai o'n cerdded heibio i ni yn y cyntedd. Yr unig hync yn y stafell ac mae hi wedi'i ffeindio fo. Mae'r llygaid yn gwneud eu gwaith arferol a'i bysedd hi'n cyffwrdd ei lawes o bob munud. Fydd gan y creadur ddim gobaith. Dwi'n sipian fy lager yn barchus tra maen nhw'n siarad efo'i gilydd, ac yn esgusodi fy hun bron heb iddyn nhw sylwi. Mi fyddan nhw'n bwyta ei gilydd o fewn yr awr.

Mae Anna a Nia yn siarad yn dawel yn y gornel. Do'n i ddim yn disgwyl eu gweld nhw, mae'n rhaid i mi gyfadde. Does 'na neb wedi eu gweld nhw ers misoedd, ddim ers iddyn nhw symud i Gaerdydd a gadael coblyn o lanast ar eu holau. Mae Mam yn deud fod 'na olwg gwell ar Dylan yn ddiweddar; roedd o'n edrych fel trychiolaeth ar y dechra, a fedrwn i ddim peidio â theimlo dros y creadur. Welodd Treddôl erioed y fath sgandal.

"Llinos! Sut wyt ti? Stedda." Mae Nia yn falch o 'ngweld i. Tydi Anna ddim yn siŵr eto, ac mae'n gafael yn dynn yn ei gwydr wrth 'neud lle i mi.

"Wel, sut mae Caerdydd? Ti'n licio dy swydd?"

"Grêt, diolch." Mae hi'n nerfus.

"Glywais i dy fod ti'n chwarae i Gaerdydd rŵan, Nia?"

"Ydw tad, a gesia be, dwi wedi cael fy newis ar gyfer Sgwad Cymru!"

"Cer o 'ma! Go dda chdi hogan, llongyfarchiada!"

"Diolch i ti, ac mi fysa Anna wedi cael ei dewis hefyd tasa hi'm wedi rhoi'r gore iddi."

"Na fyswn siŵr." Mae hi'n goch rŵan.

"Pam wnest ti roi'r gore iddi?"

"Mae'r ddau fychan gen i, a'r lleill yn dod ata' i bob yn ail benwythnos, felly fysa fo'm yn deg."

"A. Na fysa."

"Be amdanat ti? Wyt ti'n dal i chware?"

"Nac'dw. Aeth y tîm i'r gwellt... ym... wedyn – neb awydd dal ati rywsut – ond mae Beryl ac Emyr a rhai o'r rhai iau yn sôn am ailddechrau fis Medi. Mi fydd hi'n anodd i mi rŵan."

"Bydd. O'n i'n clywed bod Dafydd wedi mynd?"

"Do, wedi went i Gwent efo Heather. Mae o'n dysgu mewn ysgol Gymraeg yno, a hitha wedi cael swydd yn y cymoedd yn rhywle. A mae 'na sôn eu bod nhw wedi dyweddïo. Mae hyd yn oed doctoriaid yn gallu bod yn ddwl mae'n debyg."

Yna cofiodd Nia yn sydyn: "Y babi. Hogan gest ti ynde. Be ydi'i henw hi 'fyd?"

"Eira. Mae hi efo Mam heddiw."

"Ydi hi'n fabi da?" Mae llygaid Anna yn fy hoelio i.

"Werth y byd yn grwn."

"Tebyg i'w mam?"

"Meddan nhw." Dwi'n gwybod yn iawn be mae hi isio'i wybod.

"Esgusoda fi am funud," medda Nia, a chodi'n frysiog, "dwi jyst â byrstio isio mynd i'r lle chwech." Rydan ni'n dwy yn ei gwylio hi'n cerdded i ffwrdd, ac yn sylwi ar un o fodrybedd Beryl yn pwtio ei chymdogion ac yn sibrwd ei straeon i glustiau anghrediniol. Mae pawb yn synnu a rhyfeddu ac yn ysgwyd eu pennau, ac yna'n sylwi arnon ni yn eu gwylio, yn troi i ffwrdd ac yn newid y pwnc reit handi.

"Dyna pam do'n i ddim isio dod," gwenodd Anna yn chwerw, "tydi pawb yn cael modd i fyw yn siarad amdanon ni?"

"Nia oedd isio wynebu pawb unwaith ac am byth, ia?"

"Ia, mae hi'n berson lot cryfach na fi."

"Dyna pam 'nest ti byth fy ffonio i?"

"Ia. Do'n i'm yn siŵr sut fysat ti wedi'i gymryd o."

"Mi ges i sioc, do." Saib hir, anghyfforddus. "Wyt ti'n hapus 'ta?"

"Wyt ti?"

"O, ty'd 'laen."

"Ocê, yli, dwi'n hapusach efo Nia na fues i rioed efo Dylan, priodas *polyfilla* oedd gynnon ni o'r cychwyn, ond mae petha'n gallu bod yn uffernol o anodd. Mae'n haws yng Nghaerdydd lle does 'na fawr o neb yn ein nabod ni, ond mi fydda i'n difaru weithie. Pan fydd y plant yn ffonio yn deud eu bod nhw'n cael eu herian yn yr ysgol ac yn fy meio i, pan fydd Mam yn crio i lawr y ffôn yn hysterics llwyr, pan fydd Dylan yn fy ffonio i'n chwil gaib yn fy ngalw i'n bob enw dan haul ac yn deud 'mod i wedi difetha ei fywyd o, ryw betha fel'na."

"Pam wnest ti o?"

"Am 'mod i mewn cariad. Pam fuest ti efo Dafydd?"

"Ia, ocê. Cwestiwn gwirion. Ond..."

"Sut ddigwyddodd o? Dyna be ti isio'i wybod, ynde?"

"Ia."

"Dwi'm yn gwbod. 'Wyrach 'mod i'n gwbod ym mêr fy esgyrn 'mod i'n wahanol erioed, a dyna pam wnes i briodi y dyn cynta ofynodd i mi, a mynd allan o fy ffordd i fod yn uffar o fam, yn uffar o wraig, hynna i gyd. Wnes i rioed ei garu o 'sti. Sôn am orwedd yn ôl a meddwl am Walia. Mi gafodd y plant i gyd eu gneud tra o'n i'n gneud list siopa y bore wedyn yn fy mhen. Ond wnes i lwyddo i dwyllo fy hun, a phawb arall, nes i Nia... wsti. Ac wedyn roedd popeth mor uffernol o amlwg. Mae hyn yn swnio'n *soft*, ond pan dwi efo hi, mae pob dim yn gwneud synnwyr. Does 'na'm pwynt byw celwyddau, ti'n twyllo dy hun fwy na neb, ond ti wedi deall hynna dy hun, yndo?"

"Do; ddim mewn ffordd cweit mor ddramatig â chdi, ond do, dwi wedi."

"Wyt ti'n difaru?"

"Weithie. Pan fydd y plant yn crio isio i Mam garu Dad a phan dwi'n sbio ar hen luniau, pan dwi'n unig yn y gwely ar fy mhen fy hun, a bron â neidio allan i'r stryd a rêpio'r dyn cynta wela i, ond dwi'n dod drosto fo yn ara bach. Ti'n dod i arfer. Mi fysat ti'n synnu faint o ddynion sy'n cynnig eu gwasanaeth, ac ocê, ro'n i'n ei chael hi'n anodd peidio ar y dechra, dwi'n cyfadde. Dwi wedi callio rŵan, roedd pobol yn dechra siarad, a minna'n colli pob owns o hunan barch. Tydi hynna ddim yn golygu 'mod i'n pasa bod yn lleian am weddill fy oes, ond mae 'na fwy i fywyd, yndoes?"

"Os ti'n deud. Cofia dy fod ti'n siarad efo rywun arhosodd dros ddeg ar hugain o flynyddoedd cyn cael orgasm, fan hyn. Paid â sbio arna i fel'na, dwi'n deud y gwir! Rŵan wyt ti'n dallt?"

"Blydi hel, yndw. Ond mae hynny yn – ond mi fuon ni'n trafod orgasms mor amal. Sut yn y byd...?"

"Ro'n i'n cynhyrfu 'chydig, a dyna fo, do'n i'm callach nago'n? O'n i'n meddwl mai chdi oedd yn gorliwio fel arfer."

"Blydi hel. Dwi wedi cael sioc ar 'y nhin. Ond ro'n i'n amau ers talwm fod Dylan yn jwmp diflas."

"Diflas? Roedd 'na fwy o fynd mewn moped, y creadur. Fyddi di'n meddwl am Dafydd weithie?"

"Bydda'. Mae'r atgofion am gael rhyw ffantastic efo fo yn handi ar y naw weithie! Dwi'm yn ei feio fo 'sti, mi fydda 'na ryw Ddafydd arall wedi dod yn hwyr neu'n hwyrach. Mewn ffordd, mi ddylwn i ddiolch iddo fo. Ond 'sa well gen i boeri arno fo! Mi 'naeth o frifo cymaint ohonon ni, yr uffar bach celwyddog. Mi fuodd o efo Siân Caerberllan a Tracy hefyd, 'sti. Tipyn o foi. Ond os oes 'na rywun yn mynd i gadw trefn arno fo, Heather ydi honno."

"Ac ydi'r babi yn debyg iddo fo?"

"Mae Eira yr un sbit â fi, Anna, ac mae gen i deimlad ym mêr fy esgyrn y bydd hi'n chwarae rygbi i Gymru ryw ddydd."

"Felly wir."

"Bet i chdi."

Rydan ni'n gwenu ar ein gilydd am hir.

Daw Siân Caerberllan draw, y Cynghorydd Siân Roberts bellach, a choblyn o un da ydi hi hefyd.

"Haia! Argol, mae'n dda dy weld ti, Anna. Ti'n edrych yn, wel, wsti, hynny yw, ti'm yn edrych dim gwaha – be dwi'n feddwl ydi – ta waeth, ti'n iawn felly? Grêt. Gwrandwch, mae gen i bresanta i chi yn fa'ma, rywle."

Mae'n ymbalfalu yn ei bag anferthol ac yn tynnu amlen fawr, frown allan yn ofalus. Gyda gwên, tynna'r cynnwys allan ar y bwrdd. O'n blaenau, mae lluniau o'r tîm dros y flwyddyn gyfan, o'r gêm gyntaf un i'r hunllef yn Richmond; Beryl fel twmplen o fwd, Menna yn sgorio, tinau pawb yn y sgrym, Gwenan yn ffustio Mary Murphy; wynebau yn dangos pob emosiwn posib; o drasiedi colli'n rhacs i ecstasi sgorio cais tyngedfennol.

All Anna ddim peidio â chwerthin.

"Iesu, mae 'na rai ohonon ni wedi newid, yndoes?"

"Yn arw."

"Ella na barodd o'n hir iawn, ond roedd o werth o, doedd genod?"

"Bob tamed, Siân."

AM RESTR GYFLAWN o'n nofelau cyfoes, a llu o lyfrau eraill, anfonwch am eich copi personol, rhad o'n Catalog lliw-llawn – neu hwyliwch i mewn iddo ar y We Fyd-eang!

TALYBONT CEREDIGION CYMRU SY24 5AP

*e-bost* ylolfa@ylolfa.com

*y we* http://www.ylolfa.com

*ffôn* (01970) 832 304

*ffacs* 832 782

*isdn* 832 813